JN040304

合格率9割！

鈴木俊士の

公務員試験

受かる「勉強法」

シグマ・ライセンス・スクール浜松 校長
鈴木俊士 著

KADOKAWA

内定獲得率９割超の鈴木校長が "受かる" 勉強法を伝授！

正しく
勉強して
一緒に夢を
つかみ
ましょう！

公務員予備校・校長
鈴木 俊士（すずき・しゅんじ）

公務員受験専門の予備校「シグマ・ライセンス・スクール浜松」（以下、シグマ）校長。定員20名の少人数制を取り、毎年９割以上の合格者を生み出している。近隣の高校でも面接や作文・小論文の出張講義を行うなど、公務員試験受験者を合格に導くため、精力的に講義を行っている。

鈴木校長のココがスゴイ！

❶
一次試験は99.7％！ 最終試験も90％以上 が合格！

シグマの公務員一次試験の実質合格率は99.7％、最終試験も90％以上が合格。受講者が実践してきた勉強法のノウハウが凝縮された本書で合格を勝ち取ろう！

❷
26年にわたる 丁寧でアツい指導が 受講者に好評！

指導歴26年で、のべ2,400名が合格！ 本書はその集大成ともいえる１冊。筆記試験、作文・小論文、面接における丁寧でアツい指導が受講者に好評！

受講生の声

 先生のわかりやすい指導や仲間の支えもあり、一次試験では自信を持って挑むことができました。

 面接対策では、終了後に生徒と先生で反省会を行うので、自分のどこが良かったのか、悪かったのかをすぐに知ることができました。

 毎日の「暗記テスト」が大変でしたが、回数を重ねるうちにスラスラできるようになりました。暗記テストは着実に自分の力になったと思います。

はじめに

📖 公務員試験に９割合格する方法がある

「公務員試験に９割合格!?　そんなことできるはずがない！」
「勉強のやり方を工夫しても、どうせ自分には無理だ……」

　この本のタイトルを見て、そう感じた人もいるかもしれません。でも、もしも公務員試験合格は難しいものだと思っているとしたら、それは**「合格する方法を知らないから」**だと断言できます。

- 公務員に少しでも興味を持っている人
- 公務員試験の勉強法がわからない人
- 公務員試験の勉強をはじめたが、思うように成績が
  伸びない人

　こんな人たちには、何よりもまず本書を読んでもらいたいと思います。

　私は、静岡県浜松市で「シグマ・ライセンス・スクール浜松」（以下、シグマ）という公務員受験専門の予備校で校長を

しています。シグマに集まるのは、高卒程度・大卒程度・国家・地方・警察・消防・自衛官……と、あらゆるジャンルの公務員を志望している受験生たちです。なかには、社会人や民間企業を退職した人、勉強から何年も遠ざかっているフリーター、部活動ばかりの学校生活であまり勉強をしてこなかった学生もいます。年齢もレベルもバラバラです。

　それでもシグマは、**開校からの26年間で、のべ合格者数は2,400名を突破し、一次試験（筆記試験）の合格率は99％を超え、最終試験の合格（内定獲得）率も9割以上を達成して**います。だからこそ「**正しい勉強法で勉強すれば合格できる**」と自信を持っていえるのです。

📖 6か月の勉強で9割受かる勉強法を伝授

　なぜ、これほどの成果を上げられているかといえば、「**合格するためにすべきこと、考えるべきこと**」を明確にしているからだと考えています。

①**合格するために、何をすべきか。**
②**どうすれば、それを実践できるか。**

　この2つが明確になれば、あとは行動を起こすだけです。
　公務員試験は、複雑な世界に見えるかもしれません。高校受験や大学受験とは違うし、民間の採用試験とも一線を画した内容です。受験科目数が多く、勉強すべき範囲が膨大で、かつ判断推理、数的推理、空間把握といった中学・高校・大

学では学ぶことのなかった科目まであります。

「どの科目を、どう勉強すればいいのかわからない」と受験生が途方に暮れるのも無理のないことです。

また、公務員試験には、国家専門・一般、地方上級・中級・初級など、試験の種類がたくさんあり、「どれを受験すればいいのか、どのように対策すればいいのかわからない」と悩むこともあるでしょう。

そのため、9割の受験者は「これで大丈夫だろうか」という不安を抱えながら、手さぐりで勉強しているのが、公務員試験の実情です。就職や転職を考えるときに、「公務員もいいかな」と思っても、「どうせ自分には無理だ……」と思い込んで敬遠している人がたくさんいるのも、同じ理由です。

そうした人たちに対して、**「公務員試験の内容」や「このように勉強すれば6か月で9割が合格できる」ことをシンプルかつストレートに解説**していくのが、本書です。

公務員試験は、正しい勉強をすれば9割受かることができる世界なのです。

📖 自分に必要なことを本書でつかむ

本書を執筆するにあたって、「わかりやすい」ことを一番意識しました。公務員試験という複雑な世界をできるだけシンプルに説明し、もっとも効果的な勉強法を伝えることに集中したわけです。

ただし、勘違いしないでほしいのは、本書を読めば公務員

試験のすべての制度を完璧に理解できる、というものではないということです。もしも、そんな情報を求めているとしたら、本書よりも5倍くらい分厚い本を隅から隅まで熟読することをオススメします。

でも、そんな情報は、試験に受かるために必要ではありません。大切なのは、公務員試験という複雑な世界から、**自分に必要なエッセンスだけを効率よく抽出する**ことです。その意味で、本書は大いに役立つと思います。

繰り返しますが、**公務員になることは決して難しいことではありません。**しかし、必要な情報を集めて正しい勉強をしなければ、合格できないことも事実です。

本書では、26年にわたり、のべ2,400名以上の合格者たちと悪戦苦闘しながら獲得したノウハウのすべてを余すことなく公開しています。

あなたの夢を実現するための第一歩として、本書を思う存分活用してください。

「シグマ・ライセンス・スクール浜松」校長

鈴木俊士

正しい勉強法を知り、
実践することが夢への第一歩。
本書でそのノウハウを
つかみましょう！

受かる勉強法が満載! 本書の特長

📖 公務員試験合格への重要ポイントで構成

　本書は、「公務員試験とはどんな内容なのか」にはじまり、一次試験（筆記試験、作文・小論文試験）と二次試験（面接試験）に対してどう勉強すべきかなどの重要ポイントを段階的に紹介しています。順番に読み進めてもOKですし、自分に必要なところから読むことも可能です。

　ぜひ自分にあった方法で本書を活用してください。

CHAPTER 1：「**公務員試験のしくみ**」を紹介。「どんな心構えで勉強をはじめればいいのか」という基本が学べます。

CHAPTER 2：公務員試験の第1関門である「**筆記試験**」で**最速で合格ラインに達する方法**を伝授。どんな科目があり、何を優先的に勉強すべきかなどを徹底解説します。公務員試験では、「**効果的な勉強法**」を知っているかどうかで結果が大きく変わってくるのです。

CHAPTER 3：筆記試験の**各科目について具体的にどのように勉強すべきかを紹介**します。やみくもに勉強を進めるのではなく、効率的な勉強法を学びましょう。

CHAPTER 4：「合格点の作文・小論文」が簡単に書けるようになる勉強法を解説。公務員試験で求められる「いい作文・小論文」とは何かにはじまり、書くことが苦手な人でも十分に対応できるノウハウをしっかりと伝授します。キーワードは「4つのテンプレート」と「ネタ集め」です。作文・小論文を苦手とする人は、ぜひ参考にしてください。

CHAPTER 5：「公務員試験ならではの面接必勝法」を公開します。公務員試験の面接では、一般に必要とされるスキルに加えて、公務員試験だからこそ知っておくべき情報、やらなければならない準備があります。その内容を知らなければ、公務員試験の面接をうまく切り抜けることはできないのです。面接試験の重要性は年々高まっており、準備を万全にしておく必要があります。

CHAPTER 6：合格をより確実にするための「マル秘テクニック」を余すことなく紹介。どんなに素晴らしいノウハウでも、それをきちんと実践できなければ、合格を手にすることはできません。勉強の途中で挫折してしまったり、モチベーションが下がってしまったりすることもあるかと思います。それが原因で公務員になることをあきらめたり、試験本番で失敗したりすることのないように、とっておきの方法をまとめました。ここをしっかり読むことで、CHAPTER 1〜5までの内容を確実に実践できるようになります。

必読テーマを図表を交えてわかりやすく解説！

各CHAPTERにて、
おさえておきたいテーマを解説

図や表でも学べるから
わかりやすい

CHAPTER 1 01

合格への第一歩！
公務員試験の基本を知る

📖 公務員は大きく2つに分けられる

「公務員試験を受けてみようかな……」と考えている人のためにも、まずは公務員試験の概要から説明します。「公務員を目指す」とはっきり決めてすでにいろいろ調べた人も、復習のつもりで読んでみてください。意外な発見があると思います。

公務員は、大きく次の2つに分けることができます。

①国家公務員
②地方公務員

この2つは、仕事の内容や幅にも大きな違いがありますが、端的にいえば、採用するのが国ならば国家公務員、地方自治体ならば地方公務員となります。
そして、国家公務員も地方公務員も、レベルによって試験の種類が分かれています。これは、一般企業の就職試験との大きな違いの1つといえるでしょう。

16

CHAPTER 1
公務員試験では何が行われるのか

仕事の分類は大きく2つに分けられる

①事務系……行政、経済、法律などの事務職

国家公務員：各省庁や関係機関などの職員
地方公務員：県や市役所などの職員

②公安系……私たちの安全を守る

国家公務員：入国警備官、刑務官、海上保安官、皇宮護衛官など
地方公務員：警察官や消防士など

仕事の種類や内容が
多岐にわたるので、
それぞれがどんな内容なのかを
調べておきましょう

POINT

1 公務員は、事務系と公安系に分けられる。

2 事務系は事務職、公安系は人々を守る仕事。

3 勉強をはじめるときに志望先が明確でなくてもOK。

25

各テーマの終わりには、
POINTを掲載。
ここを読むだけでも
内容がつかめる

勉強をスタートする前などに
読み進めて、
効率良く勉強していきましょう。
合格へ一直線！

CONTENTS

CHAPTER 1

「公務員試験とはどういうものか」をざっと学びましょう

公務員試験では
何が行われるのか

CHAPTER 2 最初にして難関の試験をクリアする
ための正しい勉強法を紹介します

難関の筆記試験の
最強突破法を知ろう

CHAPTER 3 科目ごとの効率的な勉強法などを
見ていきましょう

超効果的な科目別の
ゴールデン攻略法

合格作文を書くために必要なこと
などをわかりやすく解説します

CHAPTER 4

合格作文が簡単に書ける オススメ勉強法

二次試験で行われる面接を突破する
ための勉強法を学びましょう

CHAPTER 5

人物重視で重要度が高い
面接で合格をつかむ

CHAPTER 6

試験別の勉強法をより効果的に
活かすための情報が満載です

合格をより確実にする
マル秘テクニック

本文デザイン・DTP・図版／斎藤 充（クロロス）
イラスト／平のゆきこ

CHAPTER 1

公務員試験では
何が行われるのか

まずは、公務員試験のしくみを紹介します。「公務員試験とはどういうものか」「どんな心構えで勉強をはじめればいいのか」という基本からスタートです。そのうえで、「情報収集➡実務的な準備➡受験勉強」などの、合格に向けた「準備」を進めていきましょう。

合格への第一歩！
公務員試験の基本を知る

📖 公務員は大きく２つに分けられる

「公務員試験を受けてみようかな……」と考えている人のためにも、まずは公務員試験の概要から説明します。「公務員を目指す」とはっきり決めてすでにいろいろ調べた人も、復習のつもりで読んでみてください。意外な発見があると思います。

　公務員は、大きく次の２つに分けることができます。

①国家公務員
②地方公務員

　この２つは、仕事の内容や幅にも大きな違いがありますが、端的にいえば、**採用するのが国ならば国家公務員、地方自治体ならば地方公務員**となります。
　そして、国家公務員も地方公務員も、**レベルによって試験の種類が分かれています**。これは、一般企業の就職試験との大きな違いの１つといえるでしょう。

📖 知っておきたい分類による違い

　国家公務員は「**国家総合職（院卒者・大卒程度）**」「**国家一般職（大卒程度）（高卒者）（社会人経験）**」などと分類され、地方公務員は「**上級**」「**中級**」「**初級**」などに分類されます。

　それぞれの分類によって何が一番違うのかというと、「**合格するための難易度が違う**」になります。

　地方上級などの場合、受験資格欄に「大学卒業程度」という表記がされていることがあります。地方中級なら「短大卒業程度」、地方初級なら「高校卒業程度」などとレベル分けされています（例外もあります）。

　ただ、「○○卒業程度」という表記は、あくまでも目安であって、受験資格を示す最終学歴ではありません。**その学歴相当の学力を要する試験**という意味なのです（自治体によっては、学歴を受験資格にしているところがありますが、数は多くありません）。

　つまり、高校や短大卒業の学歴であったとしても、大学卒業程度の試験、たとえば国家一般職試験を受験することが可能です。実際、東京消防庁はⅠ類が大学卒業程度、Ⅱ類が短大卒業程度、Ⅲ類が高校卒業程度という試験区分になっていますが、私が主宰している「シグマ・ライセンス・スクール浜松」（以下、シグマ）にも、大学中退や専門学校卒でⅠ類試験に合格して東京消防庁で勤務している人たちがいます。

ただし、大卒程度試験となると、**合格が相当難しいレベルである**ことを覚悟しなければなりません。大学での勉強はもちろん、公務員試験用の勉強もしっかりとしてきた人たちがしのぎを削る厳しい世界だからです。

　つまり、**問題の難易度が上がる**だけでなく、高卒程度試験と比較すると**受験生のレベルも高くなります**。そのため、大学生であっても大学卒業程度の公務員試験に合格することは簡単ではないですし、違う言い方をすると、大学卒業程度の学力を持っていれば受かるというものでもないのです。

📖 いわゆる「キャリア組」とはどんな人？

　国家総合職に合格した人はキャリアと呼ばれ、幹部候補生になるパターンが多く見られます。いわゆる「キャリア組」ですね。彼らは省庁の上級職員や上級研究員として働くのが一般的です。もっともハイレベルな試験をパスしてきただけあって、昇進するスピードが早いのも特徴です。

　国家一般職（大卒程度）は、キャリア組の補佐的な役割を担ったり、特定の分野の専門家として勤務したりすることが多いです。また、国家一般職のなかの「高卒者」になると、事務的な作業を担当することが多く見られます。

　ただし、国家公務員における人事管理システムは、従来のような採用試験の種類重視の形から、**実力重視の形に変更**される傾向にあることもつけ加えておきます。

公務員は大きく「国家」と「地方」に分けられる

①国家公務員……国に採用される

総合職　　　　一般職　　　　　一般職
　　　　　　　（大卒程度）　　　（高卒程度）　……など

②地方公務員……地方自治体に採用される

上級　　　　　　中級　　　　　　初級　　……など

「〇〇卒業程度」とは
最終学歴を示すものではありません。
そのため、たとえば高卒者でも
大卒程度試験を受けることができます

受かるためには情報収集が大事

地方公務員の上級、中級、初級についても、国家総合職や国家一般職の大卒程度試験、高卒者試験と似たような違いがありますが、地方の試験区分については、自治体による違いも見られます。上級、中級、初級と分かれているところもあれば、大卒程度、高卒程度に分かれているところ、大卒、高卒と分けずに一緒に試験を行う自治体もあります。

ちなみに、入職してからの仕事についても、上級、中級、初級という分類があまり厳密ではなく、**個人の仕事ぶりに応じて職務や職権が与えられる**ところも珍しくありません。

たとえば静岡県警の採用説明会で、警察官の仕事の魅力の1つに「学歴は関係ない」ことが取り上げられたことがあります。事実、高卒で幹部になっている人が何人もいるそうです。

ですから、自分が受験しようと考える自治体については、ホームページなどから試験や仕事内容についての情報収集をするのはもちろんのこと、実際にそこで働いている人に話を聞いてみることをオススメします。

シグマの生徒たちも、シグマに顔を出しにきた先輩たちから、受験や仕事内容についての話をよく聞き、参考にしています。そういう環境になくても、地元の自治体なら、親、兄弟、親戚、友人、知人をたどっていけば、市区町村の施設で働いている人が1人くらいは見つかると思います。

ちなみに、シグマに通ってくる高校生のなかには、親子で

公務員だったり、親戚一同が公務員だったりするケースも多く見られます。なかには、親子２代でシグマで勉強して警察官になった生徒もいるくらいです。

　先輩公務員の生の声を聞くと、一般にいわれていることとはひと味違った公務員の実態を知ることができるかもしれません。話を聞くことで当初の進路を変更して、別の公務員になる生徒も数多くいます。**仕事のやりがいを聞くことができれば、試験へのモチベーションの維持ややる気の向上にもつながる**はずです。ぜひ先輩公務員たちの話に耳を傾けてみてください。

POINT

1 国に採用される人＝国家公務員、地方自治体に採用される人＝地方公務員。

2 国家公務員も地方公務員も、レベルによって試験の種類が分かれる。

3 「〇〇卒業程度」は試験のレベルを示す。受験資格を示す最終学歴のことではない。

4 ホームページなどで早めに情報収集をしよう。

5 身近にいる公務員の人から話を聞いてみよう。

多彩な仕事から
自分の進む道を見つける

📖 公務員の仕事は「事務系」と「公安系」の2つ

　ひと口に公務員といっても、仕事の内容はさまざまです。ここでは、どんな仕事があるかを確認していきましょう。公務員全般を仕事の内容で振り分けると、2つに大別できます。

①事務系
②公安系

　行政、経済、法律などに関連した事務職を行うのが、事務系の仕事です。国家公務員ならば各省庁や関係機関に勤務し、地方公務員ならば県庁や市役所などで働くのが一般的です。学校事務や警察事務を募集する自治体も多くあります。

　地元の役所に足を運べば、目の前で事務作業をしている人がいます。彼らこそ、事務系公務員の代表的な姿なのです。

　もう1つの公安系は、地方公務員でいえば警察官や消防士（消防吏員）のことです。仕事の説明は不要ですね。**私たちの安全を守ってくれる人たち**です。

　ただし、試験においては、警察官や消防士の場合は各自治体によって内容が異なるので、しっかりと情報収集しておくことが大切です。もちろん、体力試験もありますから、勉強だけできればいいのでもありません。

　国家公務員の公安系には、入国警備官、刑務官、海上保安官、皇宮護衛官などの**専門職**があります。また、国防に関わる自衛隊は、特別職国家公務員という身分で、陸上・海上・航空に分かれています。そのほか、看護学生や航空学生などのコースもあります。
　いずれにしても、**公安系には特殊な仕事が多い**ので、興味のある人は、それぞれがどんな仕事なのかをきちんと調べておきましょう。

📖 勉強開始時に志望先が明確でなくてもOK

　公務員試験の勉強をはじめる段階で、「絶対○○になりたい！」と決めておく必要はまったくありません。勉強期間中（本書では６か月を想定）に情報収集していくうちに、自分の志望先が変わる人は数多くいます。
　大学受験などとは異なり、**公務員試験には受験料は不要**です。したがって、**試験日程が重ならないところを数か所受験するのが一般的**で、そうなると当然、数か所合格する人も多くいます。そしてそういう人は、合格したあとに、合格先の担当者から職務内容や勤務地などについて詳しい情報を収集したうえで進路を決定します。

生徒のなかで印象に残っているのは、最初は警察官になりたくてシグマにやってきて、最終的に、防衛省事務官、航空自衛隊、地元の市役所に最終合格した卒業生です。

　残念ながら第一志望の警察官にだけ最終合格できませんでした。いったいどこに進路を決めるのかな、と思っていたところ、自衛隊の広報官から詳しい業務内容の説明を聞いた彼は、航空自衛隊に進路を決めたのでした。

　それから20数年が経過したある日、彼は主任広報官としてシグマに顔を見せてくれました。

　その間に、中東のゴラン高原でのPKOに参加したり、北朝鮮からのミサイルに対抗するためにパトリオットミサイルを東北に配備したり、東北の震災のあとには物資を輸送する責任者になったりと、自衛隊の業務である「国際貢献」「国防」「災害派遣」の３つの業務すべてを行うという貴重な経験を積んできていました。そんな彼はいいました。

「自衛隊に入ってみたら、水があっていたみたいです」。

　実際に仕事に就いてみなければ、わからないことは多いものです。どんな仕事にも**理想と現実のギャップ**はあります。柳に雪折れなし、です。柔軟性を持って、幅広く進路を見通しておいたほうが、仕事をはじめて壁にぶつかったとしても、耐性が強いように思います。

　ただし、「どんな職業があって、どのような立場・ランク分けが存在するのか」「どの試験に受かる必要があるのか」を調べて自分が目指す方向性を見定めておくことは、合格するために重要なことです。準備を怠らないようにしましょう。

仕事の分類は大きく2つに分けられる

①事務系……行政、経済、法律などの事務職

国家公務員：各省庁や関係機関などの職員
地方公務員：県庁や市役所などの職員

②公安系……私たちの安全を守る

国家公務員：入国警備官、刑務官、海上保安官、皇宮護衛官など
地方公務員：警察官や消防士など

仕事の種類や内容が
多岐にわたるので、
それぞれがどんな内容なのかを
調べておきましょう

POINT

1 公務員は、事務系と公安系に分けられる。

2 事務系は事務職、公安系は人々を守る仕事。

3 勉強をはじめるときに志望先が明確でなくてもOK。

「正しい勉強法」が必要な本当の理由

📖 公務員試験は、さまざまなライバルとの競争

「はじめに」でも触れたように、公務員を目指す人の境遇はさまざまです。高校生、大学生がいるのはもちろん、正社員として企業で働いている人もいれば、派遣社員やアルバイトの人もいます。

禁固刑が確定後まだ執行されていない人、政府を暴力で破壊しようと主張する人など、公務員になれない事項はいくつか定められていますが、それらの事項に該当せず、**年齢制限内の人であれば、誰でも公務員になることができます**。逆にいうと、公務員試験に受かるには、これらのライバルに勝たなければなりません。

ちなみに、公務員試験の**年齢制限は、国家公務員の場合はおおむね30歳**です。地方公務員の場合は、自治体によってまちまちですが、30歳以上でも受験可能なところがあります。また、都道府県ごとに異なりますが、警察官もほかの試験よりも年齢の上限が高くなっています。

📖 合格までの勉強時間の目安とは？

ライバルに勝つためにまず考えなければならないのは、「**公務員試験の勉強にどれだけ時間が割けるか**」です。具体的にシグマの時間割を紹介しながら見ていきましょう。

まず、昼間に時間の取れる人に向けた「全日コース」は、月曜〜金曜の朝10：00〜15：00くらいまで授業を行います。そのため、昼休みの時間を除いて勉強時間は1日4時間（授業間の休憩時間は含みます）。土日は、気分転換のためにアルバイトなどをしている人が多いですし、本番の試験を受けることもありますので、勉強時間には含めません。

そのため、基本的に平日の週5日が勉強日となり、**最低でも1週間に20時間近く**は勉強していることになります。

これまでの私の経験からすると、およそ6か月の勉強期間で確実に、かつ複数の受験先に合格するためには、このぐらいの時間は確保してほしいと思います（詳細はCHAPTER 2で解説）。

受験勉強の量（時間）を単純比較するなら、正社員や派遣社員、フルタイムで働くアルバイトなどより、高校生や大学生が有利であることは間違いありません。学生は（学校の勉強があるとはいえ）ある程度集中して公務員試験用の勉強ができます。これは大きなアドバンテージです。

こんな話をすると、正社員などで働いている人は「やっぱり自分には無理か」と思うかもしれませんが、そんなことは

ありません。シグマには社会人や現役の高校生・大学生などの、昼間に勉強時間が取れない人のための「夜間コース」があります。

　夜間コースの授業は、18：00〜21：00に行っています。ただ、社会人や部活動引退前の現役高校生には、３時間目がはじまる20時間際に駆け込んでくる人も珍しくありません。そうなると、授業時間としては１日１時間程度になりますが、それでも、多くの受験生が合格を決めています。

　ですから、昼間に働いている人であっても、あきらめる必要はまったくありません。**公務員試験に受かるには、勉強するうえでいくつかのコツがある**のです。

📖 多くの人が手さぐりで勉強している

　本書を読んでいる人のほとんどが、何らかの形で一度は「受験」を経験していると思います。中学受験をした人もいるでしょうし、高校受験をした人はもっと多いはずです。大学受験を経験した人も少なくないでしょう。

　しかし、これまでの受験と公務員試験との間には、決定的な違いがあります。それは**「公務員試験に向けた勉強法が確立されていない」**ことです。

　たとえば大学受験なら、「英単語を覚えて、長文読解をやって、日本史の用語集を買ってきて……」など、基本的な勉強法を多くの人が知っています。それに、高校のクラスには大学を受験する友だちがいて、大学受験のための勉強法を教えてもらえることもあるでしょう。また、大学受験のための勉

正しい勉強をすれば合格を手にできる

公務員試験の難しいところは……

①基本的に誰でも受験可能。
＝ライバルが多い。

②何を、どう勉強したらいいのかがわからない。
＝正しい勉強法を示した書籍などが少ない。

③受験科目が多く、範囲が広い。
＝何から手をつけるべきかが明確でない。

だからこそ、合格に向けた
正しい勉強法を実践すれば
ライバルに勝てます！

強法について書かれた本も数多く出版されています。

　しかし、公務員試験は違います。「高校３年になったからクラス全体で公務員試験の受験対策をしましょう」などという、ありがたい状況は期待できず、公務員受験のために何をどう勉強すればいいのかわかりません。

📖 情報収集をして効率の良い勉強法を身につける

　そうした意味では、**公務員試験は孤独な戦い**といえるのかもしれません。シグマのような公務員予備校や専門学校に通っている場合は別として、公務員試験を受けるうえでは、受

験情報、勉強法、必要な参考書や問題集を、自分で調べて、調達する必要があります。ところが、公務員試験においては、参考書や問題集はたくさん出版されていても、勉強方法を教えてくれる本は驚くほど少ないのです。

　それでいて、公務員試験の受験科目はとても多く、その厳しい現実が受験生を大いに苦しめます。「何から手をつければいいのかわからない」「いったいどうやって勉強すればいいんだ！」と途方に暮れる人がいるのも無理のない話です。
　しかし、考えようによってこのことは、大きなチャンスでもあります。**正しい勉強法を知れば、それだけライバルに差をつけられる**からです。
　たとえ時間がたくさんある学生でも、正しい勉強法を知らなければ、なかなか合格することはできません。反対に、時間のない社会人でも、**しっかりと情報収集をして、効率の良い勉強法を身につければ必ず合格できる**のです。
　本書では、昼間に働いていたり、部活動などがあったりして、なかなか勉強時間を確保できない人でも、**わずか6か月で合格できるノウハウを伝授**していきます。

POINT

1 勉強時間としては週20時間が目安。

2 正しい勉強法を身につけることが合格への近道。

CHAPTER
1 04

一次試験と二次試験では何が行われる？

📖 超重要ポイント「2つの試験の特徴」

　次に、公務員試験の制度について解説します。受験生であれば絶対に知っておかなければならない情報です。

　公務員試験には、**一次試験と二次試験**があります。
　どの試験を受けるか（国家一般職なのか、専門職なのかなど）、どの地方自治体を受けるかによって、試験の実施方法や内容は違ってきますが、一次と二次があるのは同じで、これが公務員試験の基本形になります。なお、数は少ないですが、三次、四次とステップを踏んでから、面接試験が行われる自治体もあります。
　それぞれの試験内容は次の通りです。

- 一次試験＝「筆記（適性試験を含む）」「作文・小論文」
- 二次試験＝「面接」「身体的な各種試験（身体測定、体力測定、適性診断など）」

　警察官や消防士などの公安系の場合、身体的に一定レベル

を超えていることも重要で、それを含めたすべての試験を突破しなければ、公務員になることはできません。

そこで本書では、筆記試験、作文・小論文試験、面接試験のそれぞれについて、勉強法や攻略するためのポイントをCHAPTER 2〜5で詳しく解説していきます。

📖 「準備した人が勝つ」公平な世界

公務員試験は、筆記試験、作文・小論文試験、面接試験のいずれにおいても**「しっかり準備してきた人が勝つ」というシンプルで公平な世界**です。

わかりやすい例でいうと公安系の体力試験です。たとえば、シグマがある静岡県の警察官採用試験では、体力試験の不合格基準が「腕立て伏せは男性19回以下、女性5回以下」などとあらかじめ公表されます。つまり、体力試験の当日までに、これだけできるようになっておいてね、ということなのです。

そのため、準備を怠っている人は、公務員にはなれません。一方で、**きちんと準備しておきさえすれば公務員になれます。**ある意味では、非常に「公務員的」といえるでしょう。

一般の企業なら、どこか1か所でもキラリと光る個性や能力があれば採用されるケースも多くあります。

しかし、公務員は違います。**「決められたことをしっかり準備して、本番に臨む」という真面目さ、誠実さ、勤勉さがより求められる**のです。

おさえておくべき公務員試験の内容

一次試験……筆記、作文・小論文

筆記試験対策は CHAPTER 2、3、
作文・小論文対策は CHAPTER 4 にて詳述

二次試験……面接

対策は CHAPTER 5 にて詳述

どの試験も、しっかりと
準備して正しく対策すれば、
必ず突破できます！

📖 公務員試験に受かるのは「きちんとタイプ」

　26年にわたる私の経験からはっきりいえるのは、**最終試験を突破した生徒たちは、「遅刻や欠席がきわめて少なかった」**ことです。また、私やほかの先生方が授業中に配布する多くのプリントを紛失することもありませんでした。それどころか、きちんとファイルし、授業中に必要になったら、いつでもさっと取り出すことができるようにしていたのです。

　こうした時間管理や書類管理ができることは、仕事における信頼関係を構築するうえでも欠かせません。ですから公務員試験において、きちんとした人たちが最終合格を勝ち取っていくのは、当然なことだと思います。

もちろん、仕事ができる人のなかには、天才肌のタイプも
います。

　私も民間企業で働いた経験が10年以上ありましたから、仕
事ができる人には、きちんとタイプと天才肌タイプの2つの
タイプがいることはよく知っています。

　ただ間違いなくいえることは、**公務員試験に合格する人の
多くが、きちんとタイプの人**だということです。

　大事なことなので繰り返します。**公務員には、真面目さ、
誠実さ、勤勉さが特に求められます。**そのことを常に念頭に
置いてほしいと思います。

　そして、「どんな準備をすればいいのか」については、本書
がしっかりとフォローしていきます。

POINT

1　**試験は一次と二次の2つが基本。
一次試験は筆記と作文・小論文、二次試験は面接。**

2　**しっかりと準備すれば勝つことができる。**

3　**公務員に特に求められるのは、
真面目さ、誠実さ、勤勉さ。**

最初の関門の筆記試験は
なぜ難しい？

📖 受験生にとってつらいのは科目数の多さ

　公務員試験では、**人物重視の傾向のため面接試験の配点が高くなってきています**。なかには９割以上が一次試験を通過する試験もあるくらいです。とはいえ実際は、最初の関門である一次の筆記試験で６〜８割の受験者が落とされる試験も少なくありません。

　筆記試験では、次の３種類の問題が出されます。

①**教養試験**
②**専門試験**
③**適性試験**

　ただし、必ず３種類あるのではなく、試験の種類や受ける地方自治体によって、専門試験がなかったり、適性試験がなかったりします。事前に調べておきましょう。

　①の教養試験では、**公務員として必要とされる一般常識を問う問題**が出されます。受験生をもっとも苦しめるのは、**出**

題される科目数の多さ・出題範囲の広さです。いわゆる教養科目にあたる国語、数学、理科、社会はもちろん、「訓練科目」（83ページ参照）といわれる文章理解（英文を含む）、判断推理、数的推理、空間把握など多岐におよびます。

　そう聞いて、「そんなにたくさん勉強できない！」とあきらめたり、パニックになったりしないでください。科目数が多く出題範囲が広いからこそ、正しい勉強法が必要なのです。そして、本書でその**正しい勉強法を学べば、ライバルたちに大きな差をつけることができます。**

　具体的な勉強法は、CHAPTER 2、3で詳しく解説します。

📖 専門試験は必ず実施されるわけではない

　②の専門試験では、**専門分野における知識や技能、判断能力を問う問題**が出されます。専門分野に関する試験なので、どの分野の試験を受けるかによって、内容はまるで違ってきます。行政・法律系、経済系の区分で試験を受ける場合と、理工系、農学系の場合とでは、求められる専門性が違うのは、当然のことでしょう。

　受験者がもっとも多い一般事務系の例でいえば、行政・法律・経済という区分別に専門的な勉強が必要です。大卒程度の国家公務員や地方上級を受験する人は、相応の専門試験対策をしておかなければなりません。

　もちろん、専門試験のないところもあります。市役所の事務系では、専門試験を実施しないところが年々増えていて、全国の約6割以上は専門試験を行っていません。警察、消防、

国立大学法人職員、刑務官、入国警備官、皇宮護衛官、海上保安学校、衆議院衛視などにも専門試験はありません。

　高卒者の国家公務員や地方初級の事務系でも、専門試験を実施しないのが一般的です。ただでさえ**科目数の多い公務員試験において、専門試験がないというのは大きな狙い目**です。

📖 スピードと正確性が求められる適性試験

　③の適性試験は、**単純な計算問題、分類、照合、図形把握などを短時間で解答していくもの**です。小学校や中学校で受けた知能テストをイメージするとわかりやすいでしょう。

　この試験は、おもに高卒者の国家一般職や地方初級などで行われます。１つひとつの問題は決して難しくないのですが、短時間でたくさんの問題を解き、正確に答えなければなりません。スピードと正確性が同時に求められますので、慣れていないと点を稼ぐどころか、０点になることさえあります。

　公務員試験は、すべての項目で基準点を超えないと不合格になります。そんな危険性を秘めているのに、適性試験対策をしていない受験生が非常に多く見られます。地方自治体の大卒程度を対象にしたレベルでも適性試験を実施しているところがありますから、きちんと準備することが必要です。

📖 SPIを導入している自治体もある

　先述した通り、地方公務員試験において専門試験を実施し

ない自治体が増えてきています。これに加え、民間企業志望者にも公務員試験が受験しやすいように（つまり、たくさんの受験生に受けてほしいために）、「特別な公務員試験対策は必要ありません」と銘打ち、民間の採用試験で使われている「SPI」や「SCOA」を導入する自治体が増えています。

そして試験実施サイドの思惑通り、**民間企業志望者の受験も増えていて、倍率は高くなる傾向**にあります。ですから、SPIを採用した試験を受ける場合には、試験の1〜2週間前には、問題集を1冊用意して目を通しておきましょう。

また、市町村職員の試験において平成30年度より登場した新教養試験の「Light（基礎力タイプ）」は、従来の公務員試験より難易度が低く、SPIやSCOA同様に、民間企業志望者でも受験しやすいタイプの試験です。

📖 合格のチャンスは誰にでもある

公務員の筆記試験の特徴は、やはり科目数が多く、出題範囲が広いことです。ただし、科目数が多いといっても、出題の傾向には偏りがありますし、すべての科目を完璧にマスターしなければ合格できないというわけではありません。

また、試験には、一定以上の勤務年数が求められる社会人経験者を対象とする試験や、障害者を対象とした試験を実施している場合もあります。現在までに、シグマからも県や市職員で実施された民間企業経験者採用や障害者枠の試験に合格した生徒が何人もいます。

筆記試験で行われる内容とは？

①教養試験
国語、数学（訓練科目など）、理科など。
問題の内容が非常に多岐にわたる。

②専門試験
行政・法律・経済などの
専門知識が問われる。
試験によっては行われないこともある。

③適性試験
計算、分類、照合などを短時間で解答する。
内容は難しくないが、
スピードと正確性が問われる。

教養試験は主題範囲が広いからこそ、
正しい勉強法を実践して
差をつけましょう

　自分に合った試験（大卒程度の国家公務員なのか、地方初級なのかなど）をきちんと見極めれば、**誰にでも合格のチャンスがある**のです。このことは絶対に忘れないでください。

POINT

1 一次の筆記試験は「教養試験＋専門試験＋適性試験」。

2 教養試験は科目数が多く、出題範囲も広い。

3 専門試験、適性試験は行わないところもある。

受験者必見！
公務員試験に受かるタイプ

📖 公務員に求められるのは「積極性」

　26年にわたる公務員試験の講師経験から見て「この生徒は絶対に受かる！」と感じるのは、次の３つが備わったタイプです。

①積極性
②素直さ
③真面目さ

　このうち②素直さと③真面目さについては、CHAPTER 5で述べることにし、ここでは①積極性について述べておきましょう。実際の生徒の例を挙げながら解説していきますので、自分の普段の生活態度と比べてみてください。

　受かるタイプは、**他人のアドバイスを積極的に取り入れて行動**に移しています。乾いたスポンジが水を吸収するように、情報を採り入れ、明るく、楽しそうに行動に移すのです。
　「志望する職種だけでなく、いろいろな採用説明会に参加す

ると良いよ」とアドバイスすると、ありとあらゆる採用説明会に参加して、自分の志望先に応用できるところが1つでもないかと追求していきます。警察署の採用担当者にアポをとって面接練習をしてもらったり、自衛隊の地方協力本部に何度も出かけて広報官から面接のコツを教えてもらったりした例もあります。

　また、「SDGsって何？」といっていた生徒に「新聞を読むと良いよ」とアドバイスすると、すぐに数種の新聞を購読しはじめて「ニュースって面白いですね！」というようになり、最新のニュースについて私に教えてくれるようになったこともありました。

「いいね！」と思ったら即行動

　つまり、受かるタイプは、「それ、いいね！」と思ったら、すぐに行動に移します。そして、うまくいけば継続し、うまくいかなければ別の道を模索して軌道修正していきます。そうして、見る見るうちに実力をつけていくのです。

　以前、採用担当者の方から、「最近、指示通りにしか動けない人が多くて困っている」「指示待ち人間ではなくて、自ら考えて行動できる人を採用したい」との話を聞いたことがあります。何ごとも、他人ごとでなく自分のこととして、能動的に動ける人が公務員として求められているのです。
　受かるタイプに共通する明るさも、合格を決定づけるポイ

ントの1つです。明るさは職場環境を良好にします。誰もが
そういう人と一緒に働きたいと思うものです。

📖 一度「これだ！」と決めた勉強法を貫き通す

もう1つ別の受かるタイプがあります。それは、**粘り強く、たんたんと勉強し続けることができる人**です。

勉強していると、しばらくは自分の成長が確認できず、いつも同じようなところでつまずくかもしれません。でも、しっかり予定をこなしていれば、3か月くらい経ったあとには確実な成果が表れてきます。精神的には少しきついのですが、いずれやってくる成績の上昇カーブにさしかかるまで、ぜひ我慢してほしいと思います。

要は、「この勉強法をやっていくんだ！」と一度決めたら、それを信じて**継続することが大切**なのです。

シグマの生徒を見ていても、成績が悪いときに「次はがんばるぞ！」と軽く笑える人が、結局は合格しやすいタイプです。いわゆる**「鈍感力」を備えたタイプ**ですね。彼らは、「勉強法が間違っているのだろうか」「やり方を変えるべきか」などと思い悩む前に、すぐに次のことを考えられます。

このタイプは、たとえ成長が遅くても、確実に前に進んでいきます。

考えてもどうにもならないことは考えない。ひたすら決め

たことに集中して勉強をこなしていく。あっちにフラフラ、こっちにフラフラしないで、決めた道をひたすら進んでいけば、できなかったことができるようになり、上昇カーブに乗ることができます。

受験生にとって6か月という期間は、長くも短くも感じられる微妙な長さです。しかし、人生というスパンで考えれば、6か月なんてほんの一瞬です。たった6か月の間くらい、自分が決めた勉強法を貫き通しましょう。そのほうが成功する確率は確実に高くなります。

📖 成長のスピードは人それぞれ

そしてもう1つ、公務員試験に向けて勉強をはじめる人には、ぜひ覚えておいてほしいことがあります。それは「**人それぞれ成長のスピードが違う**」ということです。

一次試験の教養科目で出される問題は、専門試験と比較すると難しくありません。ある程度勉強をしてきた人であれば、割とすんなり解ける問題が多いものです。

飲み込みの早い人なら、1か月くらいの勉強で全体の5〜6割の点数が取れるようになるケースも珍しくありません。**一次試験の合格ラインは全体の6〜7割程度**ですから、1〜2か月で合格が見えるレベルに到達するということです。

シグマにも部活動を終えた高校3年生が6〜7月くらいに入ってきますが、その時期から勉強をスタートしてもほとんどの生徒が9月の本試験に合格しています。

それだけ成長が早いタイプがいる一方で、1、2か月勉強
しただけでは、なかなか成績が上がらない人もいます。もち
ろん真剣に勉強しているのですが、その努力がなかなか成果
に直結しないのです。

　でも、たとえそういうタイプだったとしても、心配はいり
ません。成績の上昇カーブに、個人差があるだけなのです。
すぐに上昇をはじめて、そのあと停滞期に入る人もいれば、
最初に停滞期があってから、急激に伸びていく人もいます。
どちらが良くて、どちらが悪いという話ではありません。あ
くまでもタイプの違いです。

　停滞期は、誰にでも必ず訪れます。 しかしこれは、停滞期
といったものの、**次のレベルに上がるために力を着実に蓄え
ている時期**です。ジャンプする前には一度腰をかがめる必要
があります。その状態と同じなのです。

POINT

| 1 | ❶積極性　❷素直さ　❸真面目さ
が備わったタイプが公務員試験に受かる。 |

| 2 | 自分ごととして、能動的に動ける人が求められる。 |

| 3 | 一度決めた勉強法を継続することが大事。 |

CHAPTER
1 07

合格に欠かせない 大切な「5つの準備」

合格には、たくさんの「準備」が必要

公務員試験を受けるには、たくさんの準備をしなければなりません。

最近はインターネットで申し込みをする自治体も増えてきています。それでも、願書などの必要書類をダウンロードしたり、それらに記入したりするだけでもたいへんな手間がかかります。たいていの人は複数の試験を併願するので、書類の量が膨大になることも珍しくありません。

当たり前の話ですが、勉強と並行して、これらの準備をうまく進めなければ、どんなに学力がアップしても合格することはできません。

繰り返しになりますが、公務員試験とは、**準備を万全にした人が勝つ世界**です。

もちろん、受験勉強も準備の1つです。しかし、勉強以外にも準備すべきことがたくさんあります。

では、どんな準備が必要なのでしょうか。

📖 最初にやらなければならないことは？

　準備の第一歩目にすべきことは、**①情報収集**です。すべての準備は情報収集からはじまるということを肝に銘じてください。必要な情報を、必要な時期に収集しておかなければ、合格することはできません。

　本書を読んでいるのも、立派な情報収集です。また、志望先のホームページを確認するなどして、**試験のしくみ、科目、日程、願書の取り寄せ・提出方法、そのほかにやるべきこと、などを入念にチェックする**ことも大事になります。

　自分が受ける試験については、問題のタイプ、出題傾向などの情報を集めておくことも大切です。インターネットを利用すれば、さまざまな情報を得られるでしょうし、市販されている参考書や問題集などから、出題の傾向や科目ごとの配分を確認することもできます。

　試験の日程、申込期間などは、自治体によって発表されるタイミングがバラバラなので、**常に新しい情報をチェックしておく**必要があります。うっかりして、第1志望の申込期間内に申し込みするのを忘れてしまった、などということがないようにしましょう。

　そのために毎日、勉強に入る前の5～10分くらいを情報収集の時間と決めて、各自治体のホームページを確認すると良いと思います。

　試験が近づいてからバタバタするようでは、すでに結果は

見えています。入念な準備がモノをいう公務員試験の世界では、**すべてを計画的に、余裕を持って進めることが合格への近道**です。

ちなみに、インターネット申し込みが増えているとはいえ、依然として願書を持参しなければならない自治体もあります。当然、その際は、面接の前哨戦ととらえて、きちんとした格好で持っていく必要があります。

📖「情報収集＋実務的な準備、受験勉強」を準備

準備にはほかに、受験に必要な書類をそろえるといった、いわゆる②**実務的な準備**と③**受験勉強**があります。

この2つをまったくの別モノと考えている人も多いですが、それは間違っています。公務員試験に合格するための準備という意味では、すべて同じことです。

そのため、「①**情報収集→②実務的な準備→③受験勉強**」という3つの要素をきちんとスケジュールに組み込んでおくことを忘れないでください。

また、公務員試験の勉強というと「教養試験対策」を思い浮かべる人が多いと思います。でも、忘れてはならないのが、④**作文・小論文対策**と⑤**面接対策**の2つです。

「作文・小論文」に関しては、ある程度練習を積まないと制限時間内に書き上げられない生徒がシグマにもたくさんいま

す。そのためシグマでは、毎年の開講時から教養試験対策と同時に練習を開始して、毎週1本の作文・小論文を書くようにしています。

「面接」に関しては、以前は一次試験に合格したあとから準備すれば十分でした。しかし、**最近は面接重視となり、面接試験の配点が高くなったことから、教養試験と同時に対策をはじめる必要があります。**シグマでも毎年の開講時から練習をスタートしています。

　詳細はCHAPTER4、CHAPTER5でそれぞれ解説します。作文・小論文対策と面接対策も、最初からフルスロットルで勉強していくようにしましょう。

POINT

1 準備の最初は「適切に情報収集する」。

2 「情報収集→実務的な準備→受験勉強」という3つの要素をスケジュールに組み込もう。

3 作文・小論文と面接の準備も早めにはじめよう。

CHAPTER
1 08

受験地域で合格率が 異なる驚きの実情

📖 同じ実力でも受験地によって合否が変わる

「公務員試験に合格する」という目的を達成するには、**受験する地域を選ぶことも戦略の1つです。**

公務員試験は、**地域によって合格ラインが違います。**簡単にいえば、同じ実力の持ち主でも、シグマのある浜松市およびその周辺の自治体と、たとえば九州地方では合否が変わってくるということです。

なぜ、そんなことが起こるのでしょうか。

もっとも大きな理由は、**志望者の数が違う**からです。

志望者が多ければ倍率が上がり、合格するのは難しくなります。反対に、志望者が少なければ、それだけ合格しやすくなるのです。いわれてみれば納得ですね。

参考までに、2021年度の国家一般職（高卒者）一次試験合格点を地域別に見てみると、シグマのある東海北陸事務が342点なのに対して、北海道事務が392点、東北事務は392点、九州事務は421点、沖縄事務は471点です。沖縄事務にいたって

は、東海北陸事務と比べて129点も高いのです。とても同じ
公務員の同じ職種の試験とは思えませんね。

　ただし、どの受験先でも同じ地域差が見られるわけではあ
りません。同じ国家一般職でも、たとえば大卒程度・行政試
験になると、北海道の合格点が東海よりも低いといったこと
もあります。

📖 民間企業の就職先の多さも難易度に関係

　こうした差が生まれる理由としては、やはり民間の就職先
が多いか、少ないかという地域事情が考えられます。**民間の
就職口が多い地域は公務員を目指す人が少なく、そのため合
格点が低く抑えられます。逆に、民間の就職口が少ない地域
は公務員を目指す人が増え、合格ラインが上がる**、という傾
向が見られます。

　実家が鹿児島の生徒の話です。最初の年はシグマに通わず
に国家一般職（高卒者）の試験を九州事務で受けたら不合格
に終わりました。そのため、浜松市に引っ越してきてシグマ
の全日コースに通い、翌年に東海北陸事務で受験したら合格
したということがあります。

　同じように、父親の実家のある福岡で数か所消防士の試験
を受けて不合格に終わったものの、浜松市及びその周辺の市
の消防士の試験には、のきなみ合格した生徒もいました。

　浜松市には、スズキ、ヤマハ、ホンダなど全国に名の通っ

同じ公務員試験でも難易度の差ができる理由

民間企業の就職先が多いと……

　民間企業への応募が多くなり、公務員需要が下がる。
⇒公務員試験の倍率が下がり、難易度も下がる。

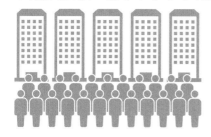

民間企業の就職先が少ないと……

　民間企業に就職しにくいため、公務員需要が上がる。
⇒公務員試験の倍率が上がり、難易度も上がる。

難易度の差を見て
受験先を決めるのも、
勝つための戦略の1つです

た大企業と、それらの下請けの中小企業が数多く存立しています。そのため、総就業人口の約37％が製造業を中心とする第二次産業に属していて、全国平均と比べると就業人口比率が高い特徴が見られます。

このように、**民間の働き口が豊富にあると、公務員試験の倍率は下がります**。そのため、どの試験を受験するのかと同時に、どの地域で受けるのかも合否に影響を与えるわけです。

「地元だから」「自宅から通勤可能だから」というのも、受験先を選ぶ大きな理由となります。しかし、それだけで安易に決めることが得策だとはいえません。もちろん、「合格するためなら、どんな地方へでも行くべきだ！」といっているのでもありません。

しかしながら、**地域選びが戦略の１つになることも事実**です。その点でもやはり、しっかりと情報を集めたうえで、自分の希望や展望を考慮しながら受験先を決めることが大切です。頭の片隅に入れておいてください。

📖 倍率が低いときは合格のチャンス

ここ数年は、公務員試験の倍率は低く抑えられている傾向にあります。つまり、民間の就職状況が良かったということです。たとえば、シグマのある静岡県の警察官試験（大卒程度・一般男性区分）の倍率（令和３年度）は1.9倍で、２倍を切っています。リーマンショックのあとは10倍以上でしたか

ら、そのギャップには驚くばかりです。

　地域差ならぬ、社会状況における時代差というべき事象ですが、受験に際しては直接影響することなので、気にしておく必要があります。

　受験生にとって、倍率は低いに越したことはありません。**倍率の低い今だからこそ、公務員試験を目指してみる価値がある**ともいえるでしょう。

　ちなみに倍率について補足すると、高校や大学受験と同様に公務員試験でも併願者が多いので、ある程度の割り増しで合格者を出すのが一般的です。たとえば、定員10名のところに15名の合格者を出す、ということです。

　そのため、倍率が10倍だからといって、10人に１人しか公務員になれないというわけではありません。

📖 先行き不安な時代には倍率が上がる

　私が民間企業を退職して、地元の浜松市にシグマを開校したのは1995年です。その年は、阪神・淡路大震災やオウム真理教の事件がありました。その後、1997年に山一証券が破綻して金融危機が起こりました。リーマンショックが起きたのが2008年のことです。

　こうした先が見えない世の中のときには、人々は不安になり、安定を求めて公務員人気が高まりました。

景気が良く、民間の就職状況が活況だと公務員人気は冷めて、不景気になり民間の採用が低調になると公務員人気が高まります。このことは、私が公務員予備校を26年間主宰してきて肌身に感じたことの1つです。

📖 人生のアウトラインを描く

　自分が直面する社会状況をつかんで、そのなかで、自分の人生全体のアウトラインを描けるかどうかは、今後の自分の人生を充実したものにできるかどうかに、大いにかかわってきます。

　具体的には、公務員として自分の希望通りに働くためにどんな選択をするべきなのかについて、職種や仕事内容はもちろんのこと、試験のレベルや地域差など、**幅広い視野を持って、総合的に考える**ことが大切です。また、これらをしっかりと考えておくことは志望動機にもつながり、面接試験においてもいい結果を生むことにつながります。

POINT

| 1 | 受験する地域を選ぶことも戦略の1つ。地域によって合格ラインが違う。 |

| 2 | 民間企業の就職先の多さも試験の難易度に関係する。 |

| 3 | 先が見えず不安定な世の中では、公務員人気が高くなる。 |

CHAPTER 2

難関の筆記試験の最強突破法を知ろう

最初の関門である筆記試験について、最速で合格ラインに達する突破法を伝授します。筆記試験を突破できなければ、何もはじまりません。筆記試験にはどんな科目があり、何を優先的に勉強すべきかを徹底的に解説しますので、内容をしっかりと理解しましょう。

「前半」「後半」で
勉強法は大きく異なる

📖 効果的なスケジュールで勉強することが大事

公務員試験を突破するには、**効果的なスケジュールをつくり、実践する**ことが不可欠です。やみくもに勉強しても成績は思うように上がりませんし、スケジュールの組み方に失敗すると、試験のための十分な準備ができなくなってしまいます。

シグマのような公務員受験専門の予備校に通っている人は、黙っていても相応のスケジュールを組んでくれるかもしれません。しかし、独学で勉強している人はそうはいきませんから、しっかりとしたスケジューリングが必要です。

スケジュールをつくるうえで注意してほしいことの1つは、**目指すのは、あくまでも「効果的なスケジュール」であって、「理想のスケジュール」ではない**ということです。

理想的なスケジュールを立てる人はたくさんいます。しかし、それを確実に実行できる人は少ないです。その理由としては、1日のノルマや1週間の勉強量が多すぎて、長続きしないのです。

　自分が決めた計画をコツコツ遂行するのは大事です。しかし、計画そのものに無理があれば、それが原因で失敗する可能性があります。

　無理なスケジュールは禁物です。「理想は理想、現実は現実」という具合にきちんと分けて考えましょう。

　ただし、だからといって楽すぎるスケジュールを組んでも「公務員試験合格」という目標を達成することはできません。**このバランス感覚もとても大切**です。そのことを頭に入れて、慎重に計画を立てるようにしましょう。

📖 6か月を前半・後半の2つに分けて考えよう

　本書で紹介するのは、シグマで実践している「**6か月で9割合格する勉強法**」です。そのため、スケジュールも6か月スパンで作成します。

　まずは、6か月を半分にして、前半3か月と後半3か月に分けて考えます。それぞれで行うことは、以下の通りです。

- **前半3か月：自分の実力を知り、基礎体力をつける**
- **後半3か月：本番モードに入り、より精度を上げていく**

　前半と後半では、やるべき内容も違えば、目標も違います。特に、前半3か月の意味合いは、しっかり理解しておく必要があります。それぞれの期間が持つ意味を見失わないように、すべきことを理解したうえで、上記を大きな紙に書いて、勉強机の前に張っておきましょう。

📖 本番はあくまで6か月後

　公務員試験の勉強をはじめる時点では、各個人の学力にはかなりの差があります。受験生には高校生や大学生もいれば、社会人やフリーターもいるからです。

　でも、同じ試験を目指す人たちが自分よりも成績がいいからといって、落ち込まないでください。**勉強をはじめる時点での成績の善し悪しなど、まったく関係ありません。**明日試験を受けるのではなく、本番はあくまで6か月後なのです。

　そのため、勉強をはじめた段階から前半3か月の間で重要なのは、**自分の実力を知る**ことです。どんなに成績が悪くても、自分のレベルを正しく把握できていればそれでOKです。成績は、6か月の間にいくらでも上げることができます。

- 前半3か月では、苦手な数的推理や判断推理の点数を伸ばしていく。
- 後半3か月では、得意な政治・経済や歴史などの点数を維持しながら、新たに物理や化学も得点できるようになる。

　このような自分なりの計画を立てて、静岡県職員（警察行政）と静岡県警のどちらもトップの成績で合格した生徒がいました。最初の3か月で苦手をつぶし、後半の3か月で得意科目を増やしていったわけです。**自分の足元をしっかり見つめている人は、確実に成績が上がっていきます。**

6か月で合格するための長期スケジュール

「前半」「後半」の3か月で行うことは異なる

前半3か月
自分の実力を知り、
基礎体力をつける

後半3か月
本番モードに入り、
より精度を上げていく

勉強スタート！ → 試験本番！

最初の3か月と後半の3か月で
何をすべきかを最初にきちんと理解しておく。

例
**苦手科目を
克服する**

- 週1回模擬試験を行い、
  自己分析する。
- 苦手な科目に取り組んで、点数
  を取れるようにする

例
**苦手科目と得意科目
それぞれの精度アップ**

- 成績を維持しつつ、ひたすら問
  題を解き、解ける問題を増やす
  ＝得意科目をより増やす。
- 模試にも取り組み、前半同様、
  自分のレベルを点数で把握。

「9階建ての建物も、最初は土を盛ること
からはじまる」。これは老子の言葉です。
土台となる基礎をしっかりとつくっておけば、
そのうえに高い建物を建てることができます

📖 得意を伸ばすより苦手を克服するほうが簡単

苦手科目は、違う見方をすると成長の余地を大きく残しています。判断推理の正答率が数回の模擬試験で90％の場合、これを伸ばして100％にするには、大変な努力が必要です。

一方、数的推理の正答率が10％の場合、これを50％に上げることはさほど難しくないでしょう。少なくとも90％を100％にするよりは、短期間で達成できるはずです。

最初に苦手科目をつぶしていくのは、とても効率のいい勉強の進め方です。そして、後半３か月でひたすら問題を解き、解ける問題、得意科目をさらに増やしていきます。

苦手なことにひるまず、粘り強く勉強していける人は、仕事で壁にぶつかったときにも、乗り越えて前に進んでいけるはずです。公務員試験をそのときの予行演習だととらえて、苦手科目の攻略法を身につけていきましょう。

POINT

1 「理想」ではなく「効果的」なスケジュールを立てよう。

2 前半３か月は基礎体力をつけよう。

3 後半３か月は精度を上げよう。

CHAPTER
2 02

実力を知るための
「模擬試験の日」を設定

📖 最後ではなく、最初に模擬試験にトライ

57ページで「前半3か月は自分の実力を知り、基礎体力を
つける期間」と解説しました。ここでは、その「自分の実力」
を知るベストな方法を紹介します。

それは、**最初に模擬試験(実際の試験問題形式のもの)を
やってみる**ことです。模擬試験を用意して、時間を計って、で
きるだけ本番に近い形で問題を解いてみましょう(模擬試験
は市販されているものを用意してください)。

ここがすべてのスタートです。くどいようですが、この段
階でいい点数をとる必要はありません。**「自分の実力(学力)
を知る」ために行う**のです。

できるだけ正確なデータを取ることが目的であり、データ
が正確でなければ効果的なスケジュールが組めませんから、
間違ってもつまらないズルはやめましょう。時間が足りない
からといって勝手に時間を延長したり、自己採点を甘くした
りしてはいけません。効果的なスケジュールを組めなければ、
本番で苦しむのは自分自身です。

📖 毎週、模擬試験を解き続ける

　そして、前半３か月では毎週１回、必ず模擬試験に取り組みましょう。土曜日でも日曜日でも、いつでもかまわないので週に１回「模擬試験の日」を決めてください。**毎週同じ曜日に模擬試験を解く**ことがポイントです。

　日々の細かい勉強スケジュールについては次のセクションで解説しますが、勉強を進めるうえでの基本は、**常に模擬試験の日を意識して勉強する**ことです。そして、次の模擬試験の日にどんな変化が表れるのか（あるいは表れないのか）を、成長日記をつけるようにして観察しましょう。

　１か月は４週ですから、最初にＡ・Ｂ・Ｃ・Ｄの４種類の模擬試験を用意してください。そして、１週目はＡ、２週目はＢ……、という具合に順に解いていきましょう。

　そして、翌月にはまったく同じ模擬試験（Ａ・Ｂ・Ｃ・Ｄ）を同じように４週にわたって解いていきます。意外に感じるかもしれませんが、つまり１か月目、２か月目、３か月目は、まったく同じ模擬試験を同じ順に解くのです。

　これによって、**自分の実力を知り、３か月間の変化を把握する**ことができます。

📖 同じ模擬試験を完璧に解けるようにする

「同じ模擬試験を解く」というと、「それでは意味がない」と思う人もいるかもしれませんが、決してそんなことはありま

「模擬試験の日」を決めて合格に向けて突き進む

①4種類の模擬試験A〜Dを用意する

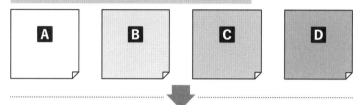

②週に1回「模擬試験の日」(ここでは「火曜日」)を決めて時間を計って取り組む

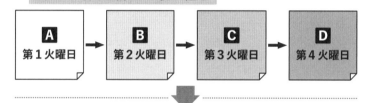

③4週でA〜Dまで順に解き終わったら、同じサイクルで3回繰り返す

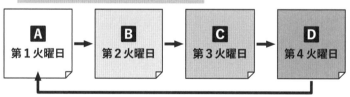

前半の3か月で
同じ模擬試験を繰り返すことで、
自分の実力を確認しましょう!

せん。もしも、３か月目に４パターンの模擬試験を完璧に解くことができたとしたら、それだけでも学力はかなりアップしています。

ですから、**前半の３か月は４パターンの模擬試験にトライし、完璧に解けるようになる**ことを目指しましょう。

復習をすれば１回目より２回目、２回目よりも３回目のほうが、問題を解くスピードが確実に速まっていきます。これも自分の成長度合いですから、時間を計って把握しましょう。

📖 成績が数値化されるとごまかしが利かない

シグマの全日コースでも、４月にスタートしてから９月末までの６か月・24週にわたって、毎週火曜日に欠かさず、教養試験40問・制限時間90分（あるいは40問・120分、50問150分など）の模擬試験を実施しています。

試験結果は、おおむね１週間で本人に渡すようにし、成績表には全受験生中の順位はもちろん、科目別の正答率が記載されています。この**正答率がとても重要で、客観的に現在の自分の実力が把握**できます。

たとえば、「自分は数的推理が完璧だ！」と思っていたとしても、数回実施した累計の正答率が50％であったとしたら、伸びしろがあることになります。成績が数値化されると、ごまかしが利きません。**今の実力を受け止め、今後の勉強に活かしていけばいいわけです。**自分の苦手科目を把握して、得意科目に変えていきましょう。

📖 前半3か月は成績の善し悪しを気にしない

　模擬試験や問題集の過去問を毎日ゴリゴリ解いていく乱取り稽古のような勉強は、後半の3か月でたっぷり行います。**ひたすら問題を解いて、レベルを維持しつつ、得意科目や解ける問題を増やしていきます。**そして自分のレベルは、前半同様に模試に取り組み、その点数で把握します。

　これに対して**前半の3か月はあまり手を広げずに、基礎体力をつけることに専念**しましょう。模擬試験の日に向かって日々勉強して、自分の変化を観察するのです。

　心がけてほしいことは、**成績の善し悪しに一喜一憂しない**ことです。日々の努力がどのように作用しているのかをじっくり観察しましょう。焦る必要はまったくありません。

POINT

1 模擬試験にトライし「自分の実力を知る」がスタート。

2 週に1回「模擬試験の日」を決め、そこを勉強の目安の1つにしよう。

3 4種類の模擬試験を4週間(1か月)で行うことを3回(3か月)繰り返して実力の変化を把握しよう。

超実践的・1週間の 勉強スケジュール

📖 1週間の時間の使い方を考えることが大事

模擬試験の日を決めたら、その日を軸にして1週間のスケジュールを組み立てます。ここからは、合格先はもとより受験時の境遇にいたるまでさまざまな、シグマ生9名＝全日コース3名（昼間に時間の取れる人）・夜間コース6名（社会人や学生など昼間に時間が取れない人）のリアルな1週間の勉強スケジュールを紹介します。ぜひ参考にしてください（各勉強時間の合計には休憩時間なども含みます）。

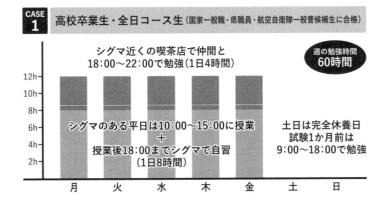

CASE 1 高校卒業生・全日コース生（国家一般職・県職員・航空自衛隊一般曹候補生に合格）

シグマ近くの喫茶店で仲間と
18:00〜22:00で勉強（1日4時間）

週の勉強時間
60時間

シグマのある平日は10:00〜15:00に授業
＋
授業後18:00までシグマで自習
（1日8時間）

土日は完全休養日
試験1か月前は
9:00〜18:00で勉強

合格者のアドバイス
暗記科目は声に出して覚え、数的推理や判断推理は、解き方がいろいろあるので、仲間と教えあいました。

CASE 2 高校卒業生・全日コース生（複数の自治体の消防に合格）

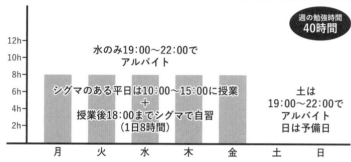

勉強のほか、体力試験対策として月・木・金・土・日に1.5時間程度運動
（長距離ラン〈5km〉、シャトルラン、腹筋、けんすい、腕立て、握力など）

合格者のアドバイス
アルバイトは面接対策＆社会勉強になりました。アルバイトの時間次第で両立は可能です。

CASE 3 大学4年生・全日コース生（県警に合格）

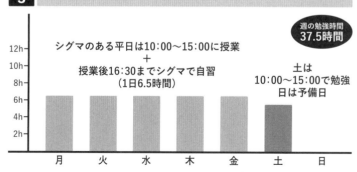

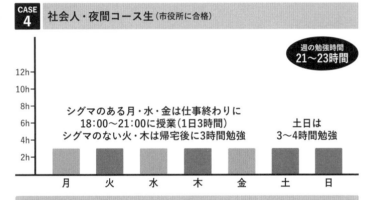

CASE 4 社会人・夜間コース生（市役所に合格）

週の勉強時間
21〜23時間

シグマのある月・水・金は仕事終わりに
18:00〜21:00に授業（1日3時間）
シグマのない火・木は帰宅後に3時間勉強

土日は
3〜4時間勉強

月　火　水　木　金　土　日

合格者の実際の勉強スケジュールを
参考にして、自分にとって最適な
スケジュールを立てましょう

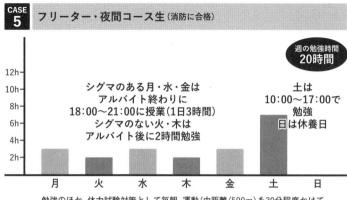

CASE 5 フリーター・夜間コース生（消防に合格）

週の勉強時間
20時間

シグマのある月・水・金は
アルバイト終わりに
18：00〜21：00に授業（1日3時間）
シグマのない火・木は
アルバイト後に2時間勉強

土は
10：00〜17：00で
勉強
日は休養日

勉強のほか、体力試験対策として毎朝、運動（中距離〈500ｍ〉を30分程度かけて
数本ラン、懸垂〈10回〉）。加えて毎日腕立て100回。

合格者のアドバイス

作文・小論文の勉強をしっかり行うことをオススメします。私は作文・小論文の成績が一次合格者35名中1位で、合格後、作文・小論文が採用の決め手だったと採用担当の方が教えてくださいました。

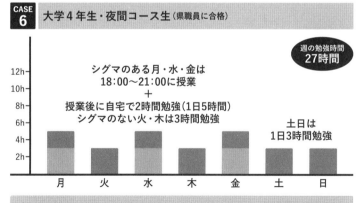

CASE 6 大学4年生・夜間コース生（県職員に合格）

週の勉強時間
27時間

シグマのある月・水・金は
18：00〜21：00に授業
＋
授業後に自宅で2時間勉強（1日5時間）
シグマのない火・木は3時間勉強

土日は
1日3時間勉強

合格者のアドバイス

専門試験対策としては、問題集1冊で勉強しました。教養試験と専門試験の勉強の割合としては、専門試験の内容が大学で習っている

範囲だったので、3：1くらいです。また、面接が苦手だったので、シグマで何回も練習しました。その結果、面接の成績が合格者のなかでトップだったので自分でもびっくりしました。

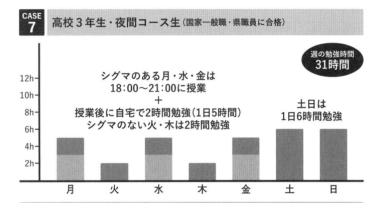

CASE 7 高校3年生・夜間コース生（国家一般職・県職員に合格）

週の勉強時間
31時間

シグマのある月・水・金は
18:00〜21:00に授業
＋
授業後に自宅で2時間勉強（1日5時間）
シグマのない火・木は2時間勉強

土日は
1日6時間勉強

月　火　水　木　金　土　日

合格者のアドバイス

土日は、2時間勉強したら1時間休憩するルーティンで勉強しました。ただし、やる気が出ないときや、集中できていないときは、途中でやめて時間をおいてから再開しました。数的推理や判断推理は、どこまでやるか、その日の目標を立てたうえで、いろんなパターンに対応できるように模擬試験と過去問題集をひたすら解きまくりました。苦手な暗記科目は、寝る前に必ずやるようにしました。

無理なスケジュールはNGです。
楽すぎず、かつ実現可能なものを
立てるように心がけましょう

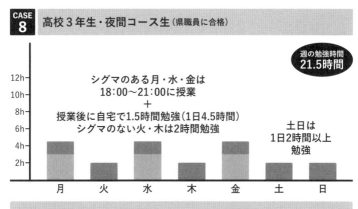

CASE 8 高校3年生・夜間コース生（県職員に合格）

週の勉強時間
21.5時間

シグマのある月・水・金は
18:00〜21:00に授業
＋
授業後に自宅で1.5時間勉強（1日4.5時間）
シグマのない火・木は2時間勉強

土日は
1日2時間以上
勉強

合格者のアドバイス

シグマで勉強したことは、その日のうちに必ず復習しました。

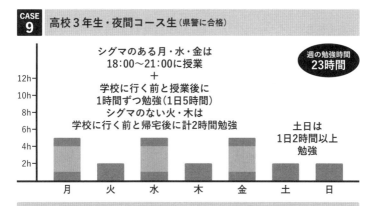

CASE 9 高校3年生・夜間コース生（県警に合格）

週の勉強時間
23時間

シグマのある月・水・金は
18:00〜21:00に授業
＋
学校に行く前と授業後に
1時間ずつ勉強（1日5時間）
シグマのない火・木は
学校に行く前と帰宅後に計2時間勉強

土日は
1日2時間以上
勉強

合格者のアドバイス

暗記科目は忘れないように、ページ数を決めて毎日繰り返し勉強していました。苦手な数的推理は、模擬試験や過去問題集で間違えたところなどの同じ問題を繰り返して、似た問題が出題されたときに必ず答えられるようにしていました。

📖 自分なりに工夫をして勉強時間を確保

　それぞれの1週間の勉強スケジュールを見ると、仕事や学校で忙しい夜間コースの生徒でも、なんとかして勉強時間を確保していることがうかがえます。また、予備日や休養日をつくっている人も見られました。**予備日とは「勉強計画が予定通りに進まなかったときなどに挽回する日」**です。「実行しやすい計画を立てるなら予備日をつくれ！」とは、よくいわれることです。予定をびっしり詰め込むより、ある程度ゆとりがあるほうがいいのは間違いありません。**ゆとりをもたせつつ勉強量を増やしていく**、そのバランス感覚を身につけましょう。

　オススメなのが、休日の1日を予備日に設定して、それ以外の予定は入れないというやり方です。予定通りに進まなかった分を取り返すのにあててもいいし、趣味や遊びに使ってリフレッシュするのもいいでしょう。

　最後に、シグマの全日コースと夜間コースの時間割を次ページに記載しましたので、参考にしつつ、自分なりにアレンジして時間割を立ててみてください。

POINT

| 1 | 自分に合った1週間のスケジュールを考えよう。 |

| 2 | 計画通りに進まなかったときのために予備日をつくろう。 |

効果的な1週間の合格スケジュール

- 合格者たちの1週間の使い方がわかったところで、
以下を参考に1週間のスケジュールを立ててみよう。

※ ■ のアミカケ科目は、80ページで解説の「重点4科目」

全日コース時間割

時間	月	火	水	木	金
10:00〜10:20	暗記テスト	暗記テスト	暗記テスト	暗記テスト	暗記テスト
10:30〜11:20	歴史	政治・経済	政治・経済	理科	数学
11:30〜12:20	数的推理／判断推理	数的推理／判断推理	国語・文章理解	理科	数学
12:20〜13:20	昼休み				
13:20〜15:00	作文・小論文	模擬試験	面接練習	適性〜予備（※）	適性〜予備（※）

※面接練習や遅れている科目の学習

夜間コース時間割

時間	月	水	金
18:00〜18:50	暗記テスト／適性	暗記テスト／適性	数学
19:00〜19:50	歴史	政治・経済	政治・経済
20:00〜20:50	国語・文章理解	数的推理／判断推理	数的推理／判断推理

同じことを繰り返す「量稽古」は、
いつの間にか質の向上に転換し、
自分を変えます

合格を確実にする
「サクセス・タイム」

📖 毎週1時間、必ず確保する

　勉強時間とは別に、週に1時間ほど必ず確保してほしい時間があります。これまでの勉強状況を振り返って、**今後のプランとビジョンを見直す時間**です。

　この1時間のことを私は「**サクセス・タイム**」と呼んでいます。わずか1時間ながらその名の通り、**公務員試験合格に向けて、成功のカギ、試験合格のカギを握ります。**

　サクセス・タイムは、その週の勉強状況を振り返るところからスタートします。確認すべきことは大きく2つです。

①スケジュール通りに勉強ができているか。
②毎日の勉強量、ノルマは適切か。

　毎日の勉強のノルマが多すぎても少なすぎても、適切なスケジュールとはいえません。「**ちょっとがんばればクリアできる**」というラインを確実に乗り越えていくことで、**人はもっとも成長**します。厳しすぎれば挫折する可能性が高いですし、反対に、自分に甘すぎるノルマでは、成長することができま

せん。自分だけが知っているその **「さじ加減」をサクセス・タイムで調整** しましょう。

📖 「科目の配分が適切か」を確認する

では、サクセス・タイムで行う3つのことを具体的に深掘りします。まずは **❶科目の配分が適切か** についてです。

そのために、週1回行う模擬試験の結果を細かく分析して、「どの科目に力を注いでいくか」を見直しましょう。優先的に勉強する科目については80ページで述べますが、**優先すべき科目の配分を常にチェックする** ことが、とても重要です。

努力と結果は、常に比例するわけではありません。「木に縁りて魚を求む（方法を間違うと目的が達せられないこと）」というように、方法を間違ってしまえば、努力に反して結果が伴わないこともあります。

日々の勉強を公務員試験の合格という最大の目標に効率よく結びつけるためにも、優先すべき科目配分のチェックは、きっちりと行いましょう。

また、筆記や面接などの試験ばかりを意識するのではなく、日頃から **❷公務員試験の準備全般にも目を配っておく** ことが大切です。

試験の日程・内容、出願の仕方、身体検査・体力試験の内容など、必要な情報をきちんと収集し、それに対する準備ができているかもサクセス・タイムで確認しましょう。

📖 作文・小論文と面接のネタ集め状況も把握

　作文・小論文と面接に関する具体的な勉強法は、それぞれCHAPTER 4、5で述べていきますが、端的にいうとこの2つを攻略するには「ネタ集め」が欠かせません。

　ネタには、**(1) 自分に関するネタ**、**(2) 受験先に関するネタ**、**(3) 時事問題に関するネタ**、の3つがありますが、試験が近づいてからネタを集めようとしても、なかなかうまくはいきません。いかにも「面接のために用意してきました」という、マニュアル通りのつまらない話になるのがオチです。

　そのため、試験官や面接官の興味を引くような話をするには、**早い段階からネタを集めておくことが不可欠**です。

　そこでサクセス・タイムでは、普段なかなか時間の取れない**❸作文・小論文や面接の準備がきちんと進んでいるか**についてもチェックしておきましょう。

📖 サクセス・タイムで軌道修正する

　「サクセス・タイムなんて、時間がもったいない」と考える人もいるかもしれません。でも、毎週1時間ぐらいを確保し、以上の①〜②と❶〜❸の5つをチェックしましょう。

　「公務員試験の合格」というゴールに向かって一直線に進んでいるなかで、知らず知らずのうちに遠回りしたり、無駄なことを繰り返したりしているかもしれません。人は安きに流れて、好きなことばかりをしてしまいがちなものです。

　「筆記試験の勉強に必死で、作文・小論文や面接の準備をし

週1回の「サクセス・タイム」で合格へ一直線！

週に1回・1時間程度「サクセス・タイム」を設定

サクセス・タイムでは、次の2点を確認する

①スケジュール通りに勉強ができているか。
②毎日の勉強量、ノルマは適切か。

具体的には、以下の3つを要チェック

❶科目の配分が適切か。
　＝模擬試験の結果を細かく分析して、
　　「どの科目に力を注いでいくか」を見直す。

❷公務員試験の準備全般が進んでいるか。
　＝試験の日程・内容、出願の仕方など、必要な情報を
　　きちんと収集し、準備ができているかを確認。

❸作文・小論文や面接の準備が進んでいるか。
　＝ネタ集めができているかなどを確認。

上記を確認して、予定通りに進んでいない場合は、スケジュールなどを軌道修正する

> 1週間を振り返って、
> 効率よく適切に勉強や準備が
> 進んでいるかを確認しましょう！

ていない」「いつの間にか得意科目ばかり勉強していた」といったことがないように、**合格のための軌道修正ができるのがサクセス・タイム**なのです。週に1時間というわずかな時間でも、これをやる・やらないでは、本番の試験直前には大きな差がついてしまいます。ぜひ実践してください。

　そしてこの機会に、週単位で計画を立てて軌道修正していく力を身につけましょう。この能力は、仕事に就いてからも大いに役立ちます。まさに一石二鳥です。「サクセス・タイムなくして、翌週をスタートすることなかれ！」です。

POINT

1 毎週1時間のサクセス・タイムをつくろう。

2 スケジュール通りに勉強ができているか、
　　毎日の勉強量、ノルマは適切か、を確認しよう。

3 優先すべき科目の配分を常にチェックしよう。

4 公務員試験の準備全般にも目を配ろう。

5 作文・小論文や面接の準備が
　　きちんと進んでいるかをチェックしよう。

CHAPTER
2 05

合格のカギを握る 「重点４科目」とは？

公務員試験の筆記試験科目を改めてチェック

　時間割を組む段階にくると、「どの科目を、どのように勉強するか」という問題に直面します。筆記試験は科目数が多く、幅も広いので、効率的に勉強しなければ、いくら時間があっても足りません。

　公務員試験に共通で行われる一般的な教養科目は、以下の３つです。

①**知識問題**：政治・経済、日本史、世界史、地理、倫理、国語、文学・芸術、数学、物理、化学、生物、地学

②**知能問題**：判断推理、数的推理、文章理解（英文を含む）、空間把握、資料解釈

③**適性試験**：計算、照合、分類などスピードが問われる問題

　上記のほか、大卒程度試験の専門試験があるところを受験するとなれば、その勉強もしなければなりません。憲法、民法、行政法、経済学、社会学、労働法など、やるべきことは山のようにあります。

「どこから手をつければいいのか見当もつかない！」と受験生が悲鳴を上げるのも無理のないことです。そこでまずは、科目を分類することからはじめましょう。

📖 重点4科目は、これだ！

　合格への最短距離を進むためにも、過去の出題傾向から、教養科目を思い切って「重点科目」と「それ以外の科目」の2つに分けます。

❶**重点4科目**：数的推理、判断推理（空間把握を含む）、文章理解（英文を含む）、政治・経済

❷**それ以外の科目**：物理、化学、生物、地学、日本史、世界史、地理などの重点4科目以外の科目

　試験の種類によって若干の差はありますが、各試験での出題頻度として、40〜50問中、重点4科目は各5〜10問程度。一方、それ以外の科目は各1〜2問程度ですから、**ウェイトの高い重点4科目を中心に勉強**していくべきです。

　73ページで紹介したシグマの時間割でも、全日コースでは重点4科目のコマ数を多くし、夜間コースでは重点4科目中心の時間割にしていて、重点4科目だけを勉強して試験に合格した生徒が何人もいます。

　まず手をつけるべきは、出題数の多いこれらの重点4科目です。しっかりおさえていきましょう。

「重点4科目」を中心にした勉強法

それ以外の科目

日本史、世界史、地理、物理、化学、生物、地学など
＝出題数が少ないため、最初は手をつけない

重点4科目

①**数的推理**
②**判断推理（空間把握を含む）**
③**文章理解（英文を含む）**
④**政治・経済**
　　＝出題数が多いため、
　　　まずはここから攻略する

- まずは重点4科目をマスターする
- 重点4科目が得点できるようになったら
  それ以外の科目に手を広げる

出題頻度の高い科目から勉強し、
得点源にすることは
試験のセオリーでもあります

📖 点数を稼げる科目をつくり、そこから拡大

「こんな分け方は乱暴すぎる！」と思われるかもしれません。私も、全科目を満遍なく勉強できるなら、そのほうが良いと思います。しかし、多少強引でも、**重点を置く科目とあまり労力を注がない科目に分ける**ことは、とても重要です。6か月という限られた期間で結果を出すなら、なおさらです。

　私が推奨するのは、すべての科目で力をつけていくのではなく、**特定の科目で点数を稼げるようにしてから、少しずつ科目の幅を広げていく**というアプローチです。何ごとにつけ、**まず優先順位を決めて、大事なことから集中して自分のエネルギーを投入する。**これが効果の高いやり方です。

　最悪なのは、あらゆる科目に手をつけようとした結果、何もかもが中途半端になり、結局何も得られないことです。

　公務員試験では、100点満点をとる必要はありません。**合格ラインとされる6〜7割に持っていくのに、どのようなやり方がベストなのかを考える**べきです。それこそが「公務員の一次試験に99％合格する勉強法」なのです。

POINT

| 1 | 試験にたくさん出る「重点4科目」を優先しよう。 |

| 2 | 特定の科目で得点できるようにし、そこから科目の幅を広げよう。 |

CHAPTER
2 06

やるべきことが見える、 もう1つの科目分類

📖 出題科目は「暗記科目」「訓練科目」に分類

試験科目の分類には、80ページで紹介した「重点4科目とそれ以外の科目」とは違う分け方があります。それは、「暗記科目」と「訓練科目」という分類です。

①**暗記科目：覚えることで得点アップが見込める**
政治・経済、日本史、世界史、地理、国語、倫理、文学・芸術、生物、地学

②**訓練科目：繰り返し解くことで得点アップが見込める**
判断推理、**数的推理**、**文章理解**、空間把握、資料解釈、数学、物理

こうして見ると、重点4科目のうち、訓練科目には判断推理、数的推理、文章理解があり、暗記科目には政治・経済があることがわかります。

「重点科目か、それ以外か」に加えて「暗記科目か、訓練科目か」と分類すると、膨大な試験科目が整理され、公務員試験をパスするために毎日やらなければならないことが見えて

きます。

　つまり、「**判断推理、数的推理、文章理解といった訓練科目を解きながら、政治・経済といった暗記科目の用語をどんどん覚えていく**」です。「どこから手をつければいいのか見当もつかない！」と悲鳴を上げていた人は、まずはこのやり方でスタートしましょう。

　毎週の「模擬試験の日」に行う模試を採点するときにも、「重点科目」と「それ以外の科目」、「暗記科目」と「訓練科目」という分類を意識してください。それにより、自分の実力をより詳細に把握できるようになります。

　たとえば、政治・経済がまるっきりダメで、全体の足を引っ張っているとします。この場合、政治・経済の用語を暗記する時間を増やせば、得点アップにつながります。

　しかし、暗記科目は、1日にたくさん時間を費やせばそれだけ覚えられるというものではありません。**記憶というのは、毎日コツコツと繰り返すことで定着する**ものだからです。つまり、暗記科目の政治・経済を1日中やったところで、最大効果は得られないのです。

　そこで、訓練科目でこれまで手をつけていなかった資料解釈などに少し時間を割いてみるという方法が考えられます。

📖 重点科目の点数ベースで具体的に目標を設定

　このように自分の得意・不得意を認識したうえで、**暗記科目と訓練科目のバランスを考えながら、1日の勉強スケジュールを立てる**ことが大切です。

　また、別の考え方として「はたして自分は重点科目だけで、どのくらいの点数まで持っていけるのか」をチェックする方法もあります。

　模擬試験を採点する際、自分が正解できた重点科目が全体の何割になるかを計算しましょう。それが全体の５割程度を占めたとしたら、次のステップとして「重点科目以外で何点稼ぎたいか」という具体的な目標が見えてくるはずです。

「数学と物理に１日１時間割いて、２点確実に得点するぞ」「日本史と地理の用語を覚えるのに１日１時間割いて、２点アップを目指そう」など、とても具体的かつ現実的なプランを作成することが可能になります。

　74ページで解説したサクセス・タイムのなかで、こうしたプランの作成・変更を随時行っていきましょう。

POINT

1 　試験科目は、暗記科目と訓練科目に分類する。
　・暗記科目＝覚えることで
　　　　　　　　得点アップが見込める。
　・訓練科目＝繰り返し問題を解くことで
　　　　　　　　得点アップが見込める。

2 　自分の実力を踏まえつつ、バランスよく勉強しよう。

合格者たちが本当に実践したオモシロ勉強法

📖 試す価値アリの9つのオモシロ勉強法

　本書を執筆するにあたり、公務員試験に合格したシグマの生徒たちに取材をし、リアルな意見を聞きました。そのなかで、「それは面白い！」と感じた筆記試験の勉強法がありましたので、生徒のリアルな声としていくつかご紹介します。

　雑談から飛び出してきたネタもありますが、こういう話こそ受験するみなさんの役に立つと思います。

オモシロ勉強法①＝チートデイ勉強法

　筋トレやダイエットでいう「チートデイ」（たとえばダイエット停滞期に、食事制限をしないで「好きなものを食べていい」とする日）のように、**「一切勉強しない日」**をつくりました。「日曜はとにかく遊ぶ、そして月曜からまた一生懸命がんばる」みたいな感じです。1週間のスケジュールをしっかりこなしたら、自分にご褒美をあげるつもりで遊びに時間を費やしました。一見無駄な時間のように思えますが、翌週からのモチベーションアップに効果的でした。

オモシロ勉強法②＝ライバル想定法

 自分のなかでライバルをつくって、模擬試験の点数を競うようにしていました。あいつにだけは負けたくない、と思ってやる気を出して、勉強していました。

オモシロ勉強法③＝懐疑勉強法

 試験当日までは、模擬試験でどんなに安定的に合格点が取れたとしても、**自信を持たないようにしました。**調子に乗りやすいタイプなので、本当にこの勉強量で大丈夫なのかと自分を疑い、勉強時間を少しでも増やすようにしました。

オモシロ勉強法④＝隙間時間勉強法

 学校の休み時間やシグマに移動中のバスのなかで、友だちと問題集を開いて**「この問題はどうやって解くといいんだっけ？」**などと確認していました。これにより、解き方や答えを自然と覚えることができました。

オモシロ勉強法⑤＝暗記科目声出し勉強法

 毎日お風呂に入っているときに、**暗記科目を大声で口に出して覚える**ようにしました。大声を出すことはいいリフレッシュになり、勉強と精神面の両面で役立ちました。

オモシロ勉強法⑥＝豆知識吸収法

 　先生が授業中に口にした豆知識もなるべく吸収するようにして、家に帰ってからその復習もしていました。たとえば、日本史の授業中に先生が何気なく「ここ（岐阜県下呂市）は温泉で有名」と話したことを覚えていたら、本番の試験で「下呂市は温泉が有名である」と出題されて正解できました。

オモシロ勉強法⑦＝正答暗記法

 　政治・経済などの暗記科目の過去問は、問題を読んだらすぐに答えを見て、**正しい選択肢だけを覚える**ようにしていました。それまでは５択のうち２つに絞れても、最後に間違えることが多かったのですが、正しい選択肢だけを覚えるようにしてからは、確実に正解できるようになりました。

オモシロ勉強法⑧＝先生なりきり勉強法

 　すべての教養試験科目について、シグマのホワイトボードを使うなどして、**自分が覚えたことをほかの人にできるだけわかりやすく教える**ようにしていました。これにより、自分がどこまで理解できているかがわかりましたし、「話す」「説明する」という点で面接の練習にもなりました。

オモシロ勉強法⑨＝ストップウォッチ活用勉強法

　　　　　数的推理などの訓練科目は、シグマの問題を何回も解きました。1回目に解いたあとで得意度で選り分け、答えを見ないで解けた問題には○、答えを見てなんとか解けた問題には△、答えを見てもわからなかった問題には×をつけ、おもに×がついた問題は、時間をかけて解説を見ながら解きました。

　2回目以降は、△と×の問題だけを1問当たり3分以内と決めて**ストップウォッチで時間を計って解きました。**

　3回目以降は、時間内になるべく式や文字を使わずに簡略化して、図や表だけで素早く解くことを意識しました。また、問題集には○△×と解答にかかった時間だけを書き、それ以外はノートに書くようにしました。

　こうした合格者の勉強法のなかで、自分に合いそうなものがあれば、楽しみながら取り入れてほしいと思います。勉強することは大変であるものの、嫌々ながらやっていては、あまり身になりません。勉強することを楽しみながら、自分だけのオモシロ勉強法を開発してみましょう。

POINT

| 1 | 嫌々ながら勉強しては、あまり身につかない。 |

| 2 | 楽しみながら自分に合った勉強法を編み出そう。 |

試験での時間配分は「7対3の法則」

📖 訓練科目に7割、暗記科目に3割

本章の最後に、模擬試験や本番の試験を受けるときの時間配分について触れておきます。

たとえば、市役所の標準的な教養試験の場合、40問を120分で解かなければなりません。平均すると、1問あたり3分で解く計算になります。また、国家公務員の高校卒業程度の教養試験は、40問の出題で試験時間は90分です。こちらは平均すると、1問あたり2分少々で解く必要があります。

しかし、すべての問題を3分以内、あるいは2分少々で解くというのは、現実的ではありません。暗記科目と訓練科目では、1問にかかる時間が根本的に違うからです。

暗記科目は、知識をインプットしておけばサクサク解いていくことができます。その反面、ある程度の知識がなければ、いくら時間をかけたとしても正答することができません。一方の訓練科目は、たとえ正しいやり方がわかっていたとしても、正答に至るには、暗記科目の倍以上の時間がかかります。

　そこで私が提案するのは、**訓練科目に７割、暗記科目に３割の時間をかける**ことです。これを、試験における時間配分の「**７対３の法則**」といいます。この配分とスピードに慣れておくと、自分の実力を最大限に発揮できるようになります。

　試験本番で一番もったいないのは、「解けるはずの問題が、時間が足りなくて解けなかった」となってしまうことです。そうならないためにも、普段から「７対３の法則」を意識して模擬試験に取り組みましょう。

　そして、７対３の時間配分で模擬試験を解いたら、それを**今後の勉強にどう活かすかを考える**ことが非常に大切です。模擬試験を解くだけでは、効果は半減してしまいます。「暗記科目は３割の時間で解けたか」「スピードアップのためには、何が必要なのか」「今後の勉強スケジュールをどのように微調整すれば、より得点を稼ぐことができるのか」を、サクセス・タイムでじっくり吟味しましょう。

試験本番では、得意科目から手をつける

　試験の問題の解き方で大事なことがもう１つあります。それは**解答の順番**です。

　試験でどの順番で解答していくかは、人によってさまざまです。問１から順番に解いていくのがしっくりくる人がいれば、後半から解いていくのが性に合う人もいます。

　そのなかで私のオススメは、解けそうな問題、つまり**得意科目から解答する手法**です。勉強するときは、まず苦手科目

からつぶしていくのが効果的ですが、**試験本番では、まず得意科目から解答していくのが効果的**なのです。

　家庭教師のアルバイトをしていたのが功を奏し、数学と数的推理の２科目に自信を持っていた生徒がシグマにいました。模擬試験の際、彼は解答の手順をいろいろ試してみたそうです。その結果わかったのは、まず得意な２科目から解答することで、安定して高得点をマークできることでした。

　確実に得点できる問題から着手して足場を固める。そのうえで、気持ちに余裕を持って残りの時間をほかの科目に割り当てる。彼のように、まず得意科目から手をつけるのは、とても効率のいい点の取り方です。

　模擬試験を解く際には、時間配分や解答の手順をあれこれ試し、自分にベストな解答の手順を見つけ出しましょう。

POINT

1 試験での時間配分は、訓練科目に７割、暗記科目に３割。

2 模擬試験では、どのくらいの時間で問題が解けたかも確認しよう。

3 試験では得意科目から解くのがオススメ。

4 自分にベストな時間配分と解答の手順を見つけよう。

CHAPTER 3

超効果的な 科目別の ゴールデン攻略法

一次の筆記試験科目は、非常に幅が広く、公務員試験独特のものも存在します。それぞれについて、どのように勉強すれば良いのかを1つひとつ具体的に紹介していきますので、特に集中して読み込んでください。やみくもに取り組まず、効率よく勉強を進めていきましょう。

全科目共通の勉強法①

とにかく問題集を
繰り返し解こう

📖 参考書ではなく、問題集中心で勉強する

　ここからは、いよいよ具体的な勉強法を紹介していきます。

　基本的に、暗記科目と訓練科目では勉強方法が異なりますが、まずはどちらにも共通する部分から解説します。

　1つ目のポイントは**「暗記科目も訓練科目も問題集を中心に勉強する」**です。高校や大学受験の際、「参考書を読んで知識を身につけ、そこで覚えたことが身についているかを問題集を解いて確認する」というスタイルで勉強してきた人もいるかもしれません。しかし私は、公務員試験の勉強においては**最初から問題集を解くことが大事**だと考えています。

　57ページで述べたように、前半3か月での目標は、**「自分の実力を知り、基礎体力をつけていく」**です。これを達成するには、「どの問題が解けて、どの問題が解けないのか」という自分の実力をはっきりさせる必要があります。そのためにも、最初から問題集に取り組むのです。

　具体的には、次ページの「4つの目標」を第4目標からス

最終的なゴールを含めた4つの目標

①第1目標・

公務員試験の勉強における最終的なゴール

＝試験本番で問題を確実に解く。
※日々の勉強で身につけてきたことを、試験当日に活かす。

②第2目標

＝問題集で同じような問題に遭遇したら
確実に解けるようにする。
※後半3か月では、2〜3日に一度のペースで
模擬試験をどんどん解いていく。
そのときにきっちり正解することが目標。

③第3目標

＝前半3か月に設定した「模擬試験の日」に、
同じ問題を間違わずにきちんと正解する。

④第4目標・スタート地点

＝問題集を繰り返し解いて
同じ問題を間違わないようにする。

問題集を中心に繰り返し勉強して、
段階的に4つの目標を
クリアしましょう！

タートして段階的にクリアしていくことになります。参考書を読んで知識を増やすのではなく、最初から問題集を解いて「できる問題とできない問題」を明確に区別することを心がけましょう。そして、今日できなかった問題は、明日必ずできるようにする。この繰り返しがベースとなります。

📖 一度解いた問題は完璧に解けるようにする

　この勉強法の根底にあるのは「同じ問題は間違わない」という姿勢です。問題集を中心に勉強していき、模擬試験を含め、**一度解いた問題はすべて吸収する、完璧に解けるようにする**、という強い意識を持ってほしいと思います。

　私はよくシグマでの授業中に、前日とまったく同じ問題を出します。そのとき、きちんと正解できる人とそうでない人の差は、頭の良さではありません。復習しているかどうかだけなのです。

　1回ですべて覚えなさい、といっているのでは決してありません。そんなことはなかなかできませんし、1回で覚えようとするとプレッシャーになり、やる気も失せてしまいます。

　1回でできなければ2回、それでもだめなら3回、4回と復習すればいいのです。そうしていくうちに、最初は10のうちの5を覚えたものが、次は10のうち7になり、さらに8を覚えられる……と知識が深まっていきます。

　私の経験から、成績の良い人は最初から成績が良いのではなく、繰り返すうちに正答率が上がっていくものです。

📖 試験で不合格になる２つのケース

試験本番でまったく知らない問題が出されれば、答えられないのは当然です。試験問題を100％予想することは不可能ですから、知らない問題に出くわすことは、実際の試験でも起こりえます。しかし、そんなことであわててはいけません。

もしも、まったく知らない問題が多かったことで試験に不合格となってしまうなら、明らかに勉強量が不足していることになります（試験までに解いたのべ問題数が少なすぎる）。きちんと勉強している人なら、**一度解いたタイプの問題を本番の試験でも確実に解くことができ、必ず合格**できます。

試験で不合格になるケースでとても多いのは、「**知っている問題なのに、解き方や答えを思い出せなかった**」と「**ケアレスミスをした**」の２つです。いずれにしても、「一度解いた問題が解けない」という事態に陥っているわけです。

そうならないためには、問題集を中心に勉強を進め、「同じ問題は二度と間違えない」という強い意識を持って取り組んでいきましょう。

POINT

| **1** | どの科目も問題集を中心に勉強しよう。 |

| **2** | 問題集を繰り返して、一度解いた問題は完璧に解けるようにしよう。 |

問題集は
「解説」で選ぼう

📖 解説のわかりやすさが重要

　公務員試験の問題集は、数多く出版されています。難しすぎると続けられそうにない。かといって簡単すぎても実力アップが望めないし、時間の無駄になることがある。書店に行って、「どれにしようかな……」と迷った人もいるはずです。

　問題集を選ぶポイントは、**全科目共通で、解説が充実していて自分なりにわかりやすい**ことです。つまり、自分が読んだときに「わかった！」と理解できるかどうかが大事で、**「問題より解説に注目する」が、問題集選びのコツ**なのです。
　そのうえで暗記科目は、問題と答えを覚えるだけでなく、**周辺情報も一緒に勉強できる問題集を選ぶ**と良いでしょう。

　問題集は同じものを何度も繰り返し解いていきます。そのため、ある程度の問題数が解けるものを選ぶべきですが、分厚すぎると途中で放り出してしまう可能性が高くなります。ですから**無理なく1冊やりきることができそうな厚さ（薄さ）のものを選ぶ**ようにしましょう。

　私はシグマで数的推理と判断推理の授業も行っていますが、使用している問題集は、それぞれの科目が70問ずつ入って1冊になったものです。数的推理と判断推理の重点2科目140問を、1日10問解けば2週間で終えることができます。

　これで全体像は十分つかめますし、基本の解き方も身につきます。解き方を知っていれば応用がきくため、しっかりインプットできている人は、どんな問題を出されても正解にたどりつけます。

各科目で1冊やり遂げれば演習量は十分

　また、**問題集は1科目1冊で十分**です。

　不安にかられて何冊もの問題集に手をつけたがる人がいますが、問題集というものは、たいていその科目の範囲が網羅されていて、たとえ載っている問題の細部までは同じでなくても、テーマとしては同じ問題が載っているものです。あせって手を広げすぎるのは、良い勉強法とはいえません。

　問題集を1回だけでなく何回も繰り返すことが大切です。

POINT

1 問題集は自分にとって解説がわかりやすいものを選ぼう。

2 厚すぎず薄すぎない適度な量の問題集をやり倒そう。

3 解くのは各科目1冊でOK。

暗記科目の勉強法①

「サクセス・ノート」で 暗記科目を攻略

📖 自分だけのオリジナルのノートをつくろう

　ここからは、各科目の勉強法を具体的にお伝えしていきます。まずは暗記科目です。

　自分のフィーリングに合う問題集を選んだら、一緒に1冊のノートを用意してください。私はこのノートに「サクセス・ノート 暗記編」という名前をつけています。要は、オリジナルの用語集をつくっていくのですが、じつは問題集以上に合格へのカギを握るのが、このノートなのです。

　問題を解いていると「重要な用語だ」「覚えておこう」と感じる事柄がたくさん出てきます。それらをサクセス・ノートに書き留めていきます。間違えた問題はもちろん、正解した問題でも重要だと思う用語はどんどん書きましょう。

　いちいち書き留めるのは手間に感じるかもしれません。しかし、**頭のなかだけで覚えるよりも手で書いて覚えるほうが記憶の定着率は高くなる**ものです。重要な用語や大切な情報がノートに溜まっていく過程を楽しみましょう。ちなみに、訓練科目、作文・小論文＆面接、時事問題の対策にもノートを作成しますので、試験には全4冊のノートで臨みます。

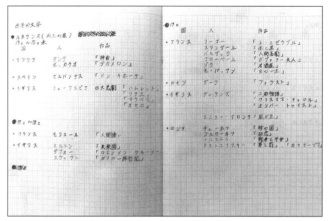

シグマの合格者の「サクセス・ノート 暗記編」。形態としては、ページの出し
入れや追加ができるルーズリーフを使ったファイル形式がオススメ。解説
を読んで大切だと感じたことなどを書き込んでいく

📖 サクセス・ノートを問題集に進化させる

　ノートに書き留めていくと、問題集よりもノートのほうが
情報としての厚みが出てきます。そうなってきたら、ノート
を問題集へと進化させましょう。

　暗記用の赤色のシートを知っているでしょうか。シートを
載せると緑色のマーカーでチェックした部分が見えなくなる
暗記用の文具セットです。これを使って、重要箇所や自分が
なかなか覚えられない用語などにマーカーを引きます。そし
て、赤色のシートをそこに重ねて繰り返し解いていくのです。

　**ノートに書き込んだ用語や情報を繰り返し解くことで暗記
力（＝思い出す力）がつきます**から、とても効果的です。

　シグマの生徒たちは、カラフルな色やイラストをどんどん
描き込んで、オリジナリティあふれるサクセス・ノートを作

成しています。自分の書き込みでできた「マイ・サクセス・ノート」には愛着がわくもので、それをお守り代わりに試験会場へ持って行くことが、シグマでは恒例になっています。

📖 自分に合った方法で繰り返し覚える

「暗記科目に特効薬は存在しない。繰り返しだけが、たった1つの道である」

　この言葉を胸に、**暗記科目の勉強は繰り返すことを徹底**してほしいと思います。問題集を3ページなど、具体的な分量を決めて毎日覚えていきましょう。

　暗記にはある程度の慣れが必要で、最初は3ページ覚えるのに2時間以上かかることもあります。でも、続けていると30分程度で覚えられるようになってきます。最初は苦労しても、暗記スピードは着実に上がっていくのです。

　暗記の仕方については、覚えるのにある程度時間がかかるものと理解して、声に出す、書く、など**いろいろ試しながら自分にとっての最適な暗記法を見つけ、地道に続けましょう。**

POINT

1 問題集を解きながらオリジナルの「サクセス・ノート」をつくろう。

2 やればやるほど、暗記スピードは上がる。

3 自分に合った暗記法を地道に続けよう。

CHAPTER
3 **04**

暗記科目の勉強法②
昨日覚えたことを
脳から取り出す

📖 暗記したことを脳に定着させる

暗記科目の勉強をする際、絶対に守ってほしいことが１つあります。それは、**昨日覚えた暗記項目を再チェックする**ことです。実際にシグマの全日コースで行っている毎朝の暗記テストをベースに、説明します。

まず、生徒には、指定した範囲のページの40問（空欄補充問題）を暗記してきてもらいます。そして、その内容を翌日最初の授業の冒頭15分程度を使ってテストします。73ページで紹介した全日コースの時間割の1時間目にある「暗記テスト」が、これにあたります。

現在は、サクセス・ノート 暗記編を書籍化した拙著『合格率99％！ 鈴木俊士の公務員教養試験 一般知識 一問一答』（KADOKAWA）を使って暗記テストを行っていて、１日40問ずつテストすると、６か月で４〜５回繰り返すことになります。これだけ行うと問題集の内容はおおむね頭に入るもので、たいていの生徒は３巡目にもなると、ざっと目を通すだけで90点以上得点できるようになります。

この再チェックは、朝起きてから仕事や学校へ行くまでの時間がベストですが、昼休みに確認するのでもかまいません。**昨日覚えたことを今日確認する**ことが大事なのです。テスト形式でなくてもよく、サクセス・ノート 暗記編、あるいは『公務員教養試験 一般知識 一問一答』を開いて、昨日の暗記項目を覚えているかどうかを15分程度で確認しましょう。

　再チェックをするとき、完璧に覚えているに越したことはありませんが、忘れていてもかまいません。「ああ、忘れていた！」「そうか、○○だった……」と思い出すだけでも、記憶が定着し、精度が高まっていくからです。

　実際に再チェックしてみると、忘れている内容が想像以上に多いものです。翌日でも忘れているのだから、1週間後、1か月後にはもっと失われてしまいます。そもそも人間の脳は、一度覚えたことを長期的に保存する能力には長けていません。むしろ、忘れる才能にあふれているといえます。

　ただし、一度覚えた内容を、時間を空けずに再び取り出そうとすると「これはけっこう重要な情報だ」と脳が勝手に判断して、長期的に記憶しようとしてくれます。つまり、**昨日覚えたことを翌朝脳から取り出すというのは、非常に重要な（とても理にかなった）暗記法**なのです。

　ちなみに、この勉強法を応用して「ワン・ステップ復習法」という勉強法を実践した生徒がいました。具体的な方法は次ページで紹介していますので、参考にしてみてください。

　ドイツの心理学者、ヘルマン・エビングハウスの実験によると、人は一度覚えたことを1時間で56％、1日後で74％忘

合格者が実践した「ワン・ステップ復習法」

通常パターン（暗記の指定範囲は1日3ページと仮定）

暗記① 1〜3p分	暗記 テスト① 1〜3p分	暗記② 4〜6p分	暗記 テスト② 4〜6p分	暗記③ 7〜9p分	暗記 テスト③ 7〜9p分	……

➡ 指定された3ページだけを毎回覚えて暗記テストを実施。

ところが……

ある生徒は指定範囲だけでなく、
「最初から指定範囲まで」を暗記。

暗記① 1〜3p分	暗記 テスト① 1〜3p分	暗記② 1〜6p分	暗記 テスト② 4〜6p分	暗記③ 1〜9p分	暗記 テスト③ 7〜9p分	……

➡ どんどん暗記範囲が累積。暗記テストの最終日には、
　1冊まるごと目を通してきた。
　この「**ワン・ステップ復習法**」で苦手だった暗記科目を克服。

上記は究極の「バケツの穴補修法」です。
興味を持った人は取り入れてみてください。
ただし、あまり時間をかけないように、
復習の範囲はざっと目を通すだけにしましょう

れてしまうそうです。つまり忘れること自体は仕方がないことで、大事なのは**覚えたことをできるだけ早く思い出し、完全に忘れてしまうのを防ぐこと**なのです。

📖 脳に入れた情報をいかにこぼさないかが大事

　暗記科目を勉強するときは、人間の脳は「穴の開いたバケツ」だということを忘れないでください。何度も穴をふさいで補修を繰り返しているうちに、完璧に近いバケツが完成するイメージです。

　模擬試験のときや本番の試験会場で「覚えたのに、ど忘れしちゃったよ」と嘆いている人が必ずいます。しかし、私にいわせれば嘆くポイントが少し違うと思っています。忘れたこと自体が問題なのではなくて、**忘れないための行動を怠ったことが最大の敗因**だからです。放っておけば、忘れるのは当然です。

　暗記科目を攻略するポイントは、脳というバケツにいかに情報を入れるかではありません。**情報をどうやってこぼさず、保持できるかが勝負を分ける**のです。

POINT

1 繰り返すことで暗記力はより強くなる。

2 昨日覚えたことを翌日の朝、
　または昼に再チェックしよう。

訓練科目の勉強法①

例題のわかりやすさで
問題集を選ぼう

📖 オススメは論理の階段を一段ずつ上がる解説

次に訓練科目の勉強法を解説します。暗記科目同様、問題集と1冊のノートを用意し、「サクセス・ノート 訓練編」を作成します。

問題集によって、解説の仕方は微妙に違います。そのなかからの選び方としては、**解説が充実しているもの、つまり自分にとって理解しやすく、問題の解き方や内容がスッと頭に入ってくるもの**を選びましょう。具体的には、**論理の階段を一段ずつ上がって正解にたどりつくようなもの**がオススメです。

途中で階段が一段外

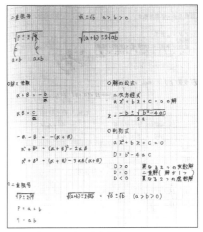

問題のパターンや解き方などをサクセス・ノートに書き留める。復習になり、記憶にも定着しやすい

されていて、「ここからどうして次の解説につながるんだろう？」と考え込んでしまうものは避けたほうが無難です。

📖 例題で基本的な解き方をインプットする

　訓練科目の勉強では、「**テーマごとに解き方を覚えていく**」ことを意識してください。そのためには、テーマごとにわかりやすく分類されていて、解き方が詳しく解説されている問題集が不可欠です。

　また、**最初に例題がある問題集を選ぶ**ようにしましょう。例題というのは、問題のパターンと解き方を一番シンプルに説明してくれます。いわば基本中の基本で、**この基本の解き方をインプット**することが大事なのです。

　例題がすべてのはじまりともいえ、それもあって問題集は通常、例題があって、そこから徐々に難易度の高い問題が配置されていく構成になっています。例題を大事にすれば、それだけ理解度が深まり、理解のスピードも上がります。あとはそれを応用するだけです。

POINT

1 暗記編同様、オリジナルの「サクセス・ノート」をつくろう。

2 自分にとって内容がスッと入ってくる問題集を選ぼう。

3 論理の階段を一段ずつ上がる解説がオススメ。

CHAPTER
3 06

訓練科目の勉強法②
「解き方を覚える」ことに専念

📖 料理を前にしてどの食器で食べるかを判断

　公務員試験の勉強をすることになってはじめて目にすることになるのが、訓練科目です。高校受験、大学受験では勉強することがなかったこの科目を攻略するには、どうすればいいのでしょうか。

　そのカギになるのは、暗記科目では用語を覚えるのに対して、**訓練科目では「解き方を覚える」**という考え方です。

　たとえるなら訓練科目の問題とは料理のメニューで、試験ではそれらが次々に目の前に運ばれてくるイメージです。ヤキソバ、スパゲティ、ステーキ、チャーハン、スープなど、その1つひとつが訓練科目の各テーマだと思ってください。

　今挙げたメニューは、使う食器がすべて違います。ヤキソバは箸で食べますし、スパゲティはフォークを使います。ステーキはナイフとフォークを使うでしょうし、お店でチャーハンを注文するとレンゲが出てくることが多いですね。

　料理を前にして、フォークを使うのか、箸を使うのかの判断こそが、訓練科目の解き方になります。

当然ながら、見たことのないメニューが運ばれてきたら、どの食器を使えばいいのかわかりません。訓練科目の勉強をはじめたばかりの人は、まさにこの段階で、例題や解説を読むことで「このメニューは、この食器を使って、こんなふうに食べる」ということがはじめてわかるようになります。

　この経験を1つひとつ積み重ねて**テーマに応じた解き方を覚えることで、最初はどう解いていいかわからない訓練科目も、どんどん解けるようになります。**

📖 問題と解法を素早くマッチングする

　公務員試験の本番は、時間との戦いです。訓練科目では、問題を目にした瞬間に、表にすればスッキリ解けるのか、それとも図示するのがわかりやすいのか、はたまた線分図を描いて考えたほうが素早く解けるのか……、それを瞬時に判断できるかが勝負の分かれ目です。スープが運ばれてきてから、「スプーンかな、フォークかな」と迷っているようでは時間が足りなくなってしまいます。

　ですから、解き方をたくさん覚えるのと同時に、**メニュー（問題パターン）と食器（解き方）を素早くマッチングできるようにする**ことが大事です。そのためにも、サクセス・ノート 訓練編に問題パターンと解き方を書いていき、それを見て、すぐに解き方が頭に浮かぶように繰り返し訓練しておきましょう。

訓練科目で大切な「解き方のマッチング」

訓練科目とは……

• 問題＝料理のメニュー

| ヤキソバ | スパゲティ | ステーキ | チャーハン | スープ |

➡試験ではいろいろな料理が次々に運ばれてくる。

• 解き方＝食器

| 箸 | フォーク | ナイフ&フォーク | レンゲ | スプーン |

➡料理に対してどの食器を使うかを選ぶ。

だからこそ試験では……

• メニュー（問題パターン）と食器（解き方）を
　素早くマッチングすることが大事。

➡過去問などを解きながら
　問題の解き方を覚える。
　問題のテーマと解き方の暗記量が増えることで、
　さまざまな問題に対応できるようになる。

いろいろなメニューを、
正しい食器を使ってスムーズに
食べられるようになりましょう！

解き方を暗記することが最良の攻略法

シグマの合格者が「訓練科目も結局は暗記」という名言を残しています。**解き方を覚えることが訓練科目を攻略する最良の方法**だと身をもって体験したのでしょう。私も同感です。

暗記科目に比べて訓練科目は、得意・不得意の個人差が出やすいです。「数的推理が苦手」「勉強してもなかなかできるようにならない」と悩む人がたくさんいることでしょう。

そんな人の多くは、解き方を完全にマスターしていないのに、次々と新しい問題にチャレンジしては失敗する、という悪循環に陥っています。**最初から手を広げずに、まずは苦手な問題の解き方をしっかり身につける**ことが大切なのです。

前半の3か月は「自分の実力を知り、基礎体力をつける」期間です。1日に解き方を1つマスターすれば、前半3か月で70パターンくらい身につくことになります。この期間では特に、1つの問題にじっくり向き合って徹底的に解説を読み、自分なりに理解できるレベルでノートに解き方を書くことを心がけてください。

POINT

1 訓練科目は解き方を覚え、問題と解き方を素早くマッチングできるようにしよう。

2 最初から手を広げず、1つひとつ解き方を覚えていこう。

重点4科目の勉強ポイント①

判断推理・数的推理
の突破術！

出題割合が大きい重要な科目

　暗記科目と訓練科目全体の勉強法を解説したところで、続いては、80ページで述べた重点4科目の科目別勉強ポイントを解説します。

　まずは、公務員試験独特の科目である判断推理と数的推理です。**出題割合が大きい重要科目**ですから、特に力を入れて勉強する必要があります。

　はじめて目にするような問題ばかりで、最初はとまどうかもしれません。インプットするだけでなく、問題を繰り返し解いてアウトプットする必要があります。そのため、最初は苦しいかもしれません。

　でも、出題されるテーマは決まっていて、**問題のパターンと解き方を覚えてしまえば、かなりの得点源になります。**解法の引き出しが増えていって問題を解くのが楽しいと思えるようになると、飛躍的に実力がアップする科目でもあります。

　なお、ほかの科目と同様に、**問題集に取り組むときは、1冊に絞って何回も解く**のが効果的です。

📖 判断推理は解き方をたくさん覚える

では、具体的に見ていきましょう。まずは判断推理です。

・判断推理

　公務員試験の科目のなかで、もっとも知能的な科目で、ある条件の下で判断・推理するというものです。

　慣れていないと相当な時間がかかってしまい、公務員試験の勉強をはじめた時期には、判断推理を苦手とする人がいるものです。でも心配することはありません。感覚的にはパズルを解くのに似ています。**パターンを知っていれば解けるようになる科目で、頭のなかで正解への道筋がイメージできれば、高得点が期待できます。**

　そのため、アウトプットが大事になりますから、**過去問がしっかりと分類され、わかりやすく解説された問題集で勉強する**ことがもっとも大切です。問題数をこなすことで解き方をたくさん覚えましょう。

　また、問題を解くときは、面倒がらずに紙と鉛筆を用意して、必ず図示したり表を描いたりしましょう。慣れないうちは、**大きな紙を使って大きく図を描く**ことがポイントです。

　頭のなかだけで考えるより手を動かしたほうが、早く、正確にゴールへたどりつけます。

判断推理と数的推理のオススメ合格勉強法

①時間を計って自分にプレッシャーをかけながら解く

あらかじめ「3分以内で解く！」などと決め、
ストップウォッチで時間を計って解く。

➡時間というプレッシャーがかかった状態で解くことで、
　時間配分など、本番を意識して解ける。

②ほかの人に解き方を教える

解き方を覚えたら、勉強仲間や家族などに説明する。

➡自分がどこまでわかっているかをはっきりさせられる。
　わかりやすく説明することで面接練習にもなる。

③問題の解き方そのものを教えあう

公式を頭に入れて解く、選択肢にあてはめて解くなど、
同じ問題でもいろいろな解法がある。
それを勉強仲間をつくって教えあう。

➡いろいろな解き方を知ることで、
　自分にとっての最速な解法パターンが見つかる。

気分転換もかねて、
普段とは違う勉強法も
試してみましょう

📖 数学が苦手でも1点突破で得意科目にできる

次に数的推理について見ていきます。

• 数的推理

「数で物ごとを考える力を測る」ことが目的です。

　公務員試験の受験者には文系の人が多く、なかには「数的」と聞いただけで拒否反応を起こす人もいます。しかし、数的推理は数学よりも算数に近く、パズル的な要素も含まれています。また、ほとんどの問題レベルが、小学校の算数や中学校の数学の範囲を超えません。そのうえ**問題はパターン化されていて、毎年のように類似問題が出されています。**

　そのため、数学が得意な人は、過去問を一通りこなすことで得点源にできますし、数学が苦手な人でも心配無用です。**最初は勉強の範囲を狭めて、1つ得意な分野をつくることからスタート**してください。

　1つのパターンをマスターしたら次のパターンに着手する、というように一歩一歩階段を上がっていきましょう。1つのパターンをマスターできれば、次のパターンをマスターするのに、さほど時間はかからないはずです。

　数的推理でも、**問題の量をこなして、より多くの解法テクニックを身につける**ことが大事です。**1点突破し、そこから得意な範囲を広げていきましょう。**

📖 うっかりミスを防ぐために問題は３回読む

シグマには過去問を解いてもらい、私が「○（マル）つけ」をして本人に返却する問題演習の時間があります。

そのとき毎年、判断推理や数的推理の問題で、「あー、ミスったあ！」と悔しがる生徒がいます。問題文に書いてある大事な要件を見落として、問われていることに答えていないのです。出題者の思うつぼです。

判断推理や数的推理を解くうえでは、**落ち着いて問題文を３回は読む**ようにしてください。うっかりミスが減り、成績アップすること間違いなしです。

POINT

1　判断推理は、パターンを知っていれば解ける。
　問題数をこなすことで解き方を覚えよう。

2　数的推理は、数学が苦手な人は、
　得意な分野をつくることからスタート。

3　問題内容を把握するためにも、
　問題文は落ち着いて３回読もう。

CHAPTER 3 08

重点4科目の勉強ポイント②
文章理解、政治・経済 ＋時事問題を攻略！

📖 公務員試験でもっとも出題割合が高い科目

　続いて、重要4科目の残り2科目、文章理解と政治・経済の勉強法について解説していきます。

・文章理解

　英語や国語の長文読解問題で、**もっとも出題割合の高い科目**です。公務員試験では、**問題文をしっかり読み解き、問われたことにしっかり答える**ことが重要ですが、文章理解はまさにそうした国語的な能力が試されます。

　問題のタイプには、本文の要旨を問う「要旨把握問題」、本文の内容と合致しているものを選ぶ「合致問題」、本文の空欄となっている部分を埋める「空欄補充問題」、バラバラの文を正しく並び替える「整序問題」があります。

　試験という限られた時間内で正答にたどりつくには、**過去問を数多くこなすことが大切です。問題集を1冊用意し、繰り返し解きましょう。**問題集の選び方は、分厚い問題集だと途中で挫折してしまう人が少なくありませ

ん。そのため、できるだけ薄いものをオススメします。

問題は５肢などの選択式がほとんどですから、過去問を繰り返して「しかし」の後方の文に作者のいいたいことがある、などのテクニックを会得してください。要旨把握問題や合致問題は出題者の意図がつかめるようになると、選択肢を見るだけで正答できるようになります。

また、**本や新聞を読んで読解力を養う**のも大事です。公務員試験では、面接で「最近読んだ印象に残っている本は？」「最近気になるニュースを３つ挙げてください」などの質問は頻出ですから、面接対策になる意味でも、日頃から本や新聞を読むようにしましょう。

そして、読むなかでわからない漢字や用語を見つけたら、辞書で調べて語彙力を高めるようにしましょう。好きな言葉が出てきたらメモしておくのもオススメです。

📖 苦手な人には「公民」の教科書がオススメ

次に、暗記科目で唯一の重要４科目である政治・経済についてです。

● 政治・経済

暗記科目のなかでも出題割合が高い科目です。

政治の内容は、国内政治と国際政治に大別できますが、**出題の中心は国内政治**です。なかでも、**日本国憲法に関する理解**が重要で、出題の８割を占めるといっても過言

ではありません。ですから問題集に出てきた**憲法の条文は、サクセス・ノート 暗記編に書き留めて、こまめにチェックする**ことをオススメします。

　経済に関しては、身近な経済と大きな経済の2つに分けることができます。身近な経済とは、需要・供給曲線による価格決定など、**市場メカニズムに関する内容で、私たちの生活に密着したテーマ**です。一方の大きな経済とは、景気の循環、財政・金融による景気対策、国際貿易など、**経済のしくみそのものに関する話題**です。
　対策としては、**問題集を解くのはもちろん、新聞を読んだり、ニュースを見たりして、社会の動きを把握する**ことが大切です。

「政治・経済は大の苦手」という人には、**中学の「公民」の教科書をオススメ**します。公務員試験に出題される政治・経済の内容が、わかりやすく説明されています。

📖 作文・小論文や面接にも役立つ時事問題対策

　ここでもう1つ、年々出題割合が高まっている時事問題の勉強法についても解説します。

●時事問題

　時事問題の重要度が上がっている理由としては、公務員の仕事は現状分析を欠かすことができず、今私たちが

どんな問題に直面しているのかを知らずして、住民に求められる仕事はできないからです。

　試験では、国内外の政治・経済や環境問題をメインに、世界遺産などの社会系、少子高齢化や年金などの厚生系、ノーベル賞などの科学系などについて、時事用語とその意味が5肢の選択問題としてしばしば出されます。

　時事の情報収集は、シグマではネットニュースを使っている生徒が多いです。私はそこに、**新聞とテレビニュースを加える**ことをオススメします。1つではなくて3つのツールをチェックすることで、より理解が深まりますし、何より自然に覚えることができます。

　時事問題の対策は、教養試験だけではなく、専門試験や作文・小論文、面接の対策にも役立ちます。**用語の暗記にとどまらず、内容をしっかり理解する**ことを心がけましょう。

📖 新聞の社説から世の中の論調がわかる

　新聞を読むうえでのポイントを1つご紹介します。それは社説です。

　社説を読むことで世の中の論調を知ることができ、それが作文・小論文や面接の対策にもつながります。ですから「これは！」と思った社説は切り抜いて、日付と感想とともにサクセス・ノート 時事問題編に貼っておきましょう。感想は、

たくさん書こうとすると続きませんから、1行だけでかまいません。

ほかにも新聞には、時事用語がわかりやすく解説されているコーナーがあります。それらも、サクセス・ノート 時事問題編に貼っておきましょう。

また、私の場合、テレビニュースは1週間分を録画しておいて、時間のあるときに観るようにしています。新聞記事の復習になり、より一層理解が深まるのでオススメです。

最後に、政治・経済や時事問題においても、**誰かにわかりやすく説明することは、とても有効な勉強法**です。

政治・経済や時事問題では、基礎となる用語はもとより、歴史的な背景を踏まえた内容の理解が必要です。相手にわかりやすく説明することができるということは、そこまで理解が深まっている証拠です。ぜひ家族や友人、知人を相手にして、トライしてください。

POINT

1 文章理解はもっとも出題割合が高い科目。本や新聞を読んで読解力を高めよう。

2 政治・経済は暗記科目のなかで唯一の重要4科目。公民の教科書を読むのもオススメ。

3 時事問題は筆記だけでなく、作文・小論文や面接の対策にもつながる。

4 知識をインプットして、家族や友人、知人にわかりやすく説明してみよう。

CHAPTER
3 09

合格に向けた 専門試験の勉強法とは？

📖 出題科目は試験によって大きく異なる

　このセクションでは、筆記試験のうちの専門試験の勉強法などについて解説します。

　専門試験は、高卒程度、短大卒程度、大卒の警察官、大卒の消防士や自衛官、一部の県職員や市職員など、実施されない試験もありますが、受験科目に含まれる方はしっかりと読み、対策を進めましょう。

　専門試験は、次のような内容で、多くは50問中40問などの選択形式になっています。

- **法律系**：憲法、行政法、民法、刑法、労働法など。
- **行政系**：政治学、行政学、社会政策、社会学、国際関係など。
- **経済系**：経済学、財政学、経済政策、経済事情など。
- **商学系**：会計学、経営学。

　専門試験は、出題科目や出題数が各試験や地方自治体によ

って大きく異なります。ですから、事前の情報収集が欠かせません。自分に必要かつ有利な科目をきちんと勉強することを心がけましょう。

📖 おさえておくべきは憲法、行政法、民法

一概にはいえませんが、**専門試験でおさえておきたいのは憲法、行政法、民法の法律系3科目**です。

専門試験は、科目を自分で選択できますが、この3科目は必須になることも多く、出題数も多いのです。そのため、専門試験を突破するカギになりますから、**憲法、行政法、民法の3科目を中心に勉強を進める**ことが大切です。

●憲法

憲法は、国民の権利や自由を守るために国家を制限するものです。

「天皇又は摂政及び国務大臣、国会議員、裁判官その他の公務員は、この憲法を尊重し擁護する義務を負ふ」(99条)

ここからもわかるように、憲法の擁護義務を負うのは国民ではありません。国家側の人たちですから、公務員になれば憲法を尊重し、擁護しなければなりません。

そのこともあって憲法について出題されるケースが多いのですが、憲法は、教養試験と重なる科目ですし、理解しやすい科目でもあります。

高得点を狙ってしっかり勉強しましょう。

• 行政法

　行政の活動が、いったい誰によって行われて、どのような場面で何をするのか、そして、行政が間違ったことをした場合に、どのような救済をしてくれるのかを、行政法は規定しています。ちなみに、憲法や民法と違って、行政法という法律があるわけではありません。行政に関する法の総称を行政法と呼んでいるのです。

　日常生活になじみがないために、とっつきにくい科目ですが、**出題数は民法と並んで多く、法律科目の中心的な科目**です。投げ出さずにしっかり勉強しましょう。

• 民法

　民法をひと言でいうと「社会生活のルール」です。そのため内容は多岐にわたり、法律系科目のなかでも条文数がもっとも多くなっています。したがって**量をこなす**ことがポイントです。民法は次の5編からなっています。

第1編：総則（通則的な規定）
第2編：物権（物に対する権利）
第3編：債権（人に対する請求権などについての規定）
第4編：親族（夫婦や親子関係についての規定）
第5編：相続（相続についての規定）

　第1編から第3編を「財産法」といい、**公務員試験では財産法からの出題が中心**となります。勉強の中心をここにおき、きちんと取り組んで得点源にしましょう。

📖 学んだことのない科目は参考書＋問題集から着手

　一般教養の暗記科目は、中学や高校で勉強する内容ですが、**専門試験の科目は大学で勉強する内容**です。したがって、まったく学んだことのない科目や予備知識ゼロの科目も出てくる可能性があります。

　そのため攻略するうえでは、**学んだことのある科目と、そうでない科目に分けて考える**必要があります。

　学んだことのある科目については、教養試験対策と同じように、**自分にとってわかりやすい解説の載った問題集を1冊選んでそれを繰り返す**ことで実力アップを狙います。

　一方、学んだことのない科目については、参考書もセットで勉強します。まずは**できるだけやさしい解説の載っている参考書に目を通す**ことからはじめましょう。そこで基礎知識を身につけてから、問題集に移行していきます。

　また、専門試験対策においても、まずは**苦手科目を攻略する**ことが鉄則です。苦手ななかでも取れる問題を確実に取れるようにしていくところから、はじめましょう。

📖 コスパの高い「目次活用勉強法」

　次に、専門試験について合格者が実際に行った**「目次活用勉強法」**を紹介します。

　まず、参考書の目次をA3サイズに拡大コピーし、その用紙の各章や項目の隙間や欄外のスペースに、関連のあるキーワードや思いついた用語をどんどん書き込んでいきます。する

と、「サクセス・ノート 目次編」ができあがります。彼は、これを折りたたんで持ち歩き、隙間時間に取り出しては「眺めていた」そうです。

この勉強法は専門試験だけでなく、一般教養の暗記科目や時事問題対策にも応用できます。**簡単にでき、効果抜群でコスパも高いです。**ぜひ試してみてください。

最後にアドバイスをもう1つ。考え方として、**「専門試験のないところを探して受験する」**という選択肢もあります。

最近では、県職員や市役所などの行政事務においても専門試験がない自治体が増えています。そうしたところを探して受験するのも1つの方法である、ということです。

心の片隅にでも留めておいてください。

POINT

1 専門試験には法律系、行政系、経済系、商学系がある。

2 出題割合が高いのは、憲法、行政法、民法の3科目。

3 学んだことのある科目は問題集を繰り返し、学んだことのない科目は参考書＋問題集で攻略。

4 まずは苦手な科目からスタートしよう。

特別企画

判断推理・数的推理の解き方のコツを伝授！

📖 判断推理・数的推理のコツあれこれ

CHAPTER 3 の最後に、判断推理や数的推理を苦手とする人向けに、例題を用いて解き方の 4 つのコツを紹介します。

コツ①：問題と解法のマッチングをつかむ

判断推理の問題では、解法のツールとして数直線、図、表などを用います。問題文や条件文の文言から、その**どれを使うかを素早く判断できるようになる**ことが最初のコツです。

問1・判断推理

A〜F の 6 人の身長について、次の各人の発言がすべて正しいとき、確実にいえるのはどれか。

（条件文）
A 発言「私は D より背が高い」　　B 発言「私は D より背が高い」
C 発言「私は D より背が低い」　　D 発言「A は F より背が低い」
E 発言「私は C より背が低い」

（選択肢）
1．A は B より背が高い　　2．B は F より背が高い
3．B は A より背が高い　　4．F は C より背が高い

本問のように条件文に基準となるものや具体的な数値が見当たらない場合は、Ａ発言を「ＡはＤより背が高い」（Ａ＞Ｄ）と読み替えるなどして条件文通りに図を描くのが良いです。

Ａ発言より
Ａ＞Ｄ
↓
Ｂ発言より
Ａ
Ｂ ＞Ｄ ──→

→ **Ｃ発言より**
Ａ
Ｂ ＞Ｄ＞Ｃ
↓
Ｄ発言より
Ｆ＞Ａ
　　Ｂ ＞Ｄ＞Ｃ ──

→ **Ｅ発言より**
Ｆ＞Ａ
　　Ｂ ＞Ｄ＞Ｃ＞Ｅ
※Ａ、Ｂ、Ｆの正確な高低は
　条件文からは判別できない

図が完成したら選択肢をチェックします。Ａ、Ｂ、Ｆの高低差は条件文からはわからず、確実にいえるのは「ＦはＣより背が高い」です。そのため正解は「４」になります。

では、もう１問見てみましょう。

問２・判断推理

Ａ～Ｅの５人が待ち合わせをした。次のことがわかっているとき、５人の発言から正しいことを言っているのは誰か。

（条件文）
ア　Ｃは待ち合わせ時刻よりも４分遅刻した
イ　ＢはＣより８分早く着いた
ウ　ＤはＣより６分早く着いた
エ　ＡはＤより４分遅く着いた
オ　ＥはＢと比べて１分差で着いた

（選択肢）
１．Ａ発言「私は待ち合わせ時刻より４分早く着いた」
２．Ｂ発言「私はＡより６分早く着いた」
３．Ｃ発言「Ａだけが遅刻した」
４．Ｄ発言「待ち合わせ時刻に着いたのは私ひとりだけだった」

問1と違って本問のように、条件文に「待ち合わせ時刻」という基準や4分、6分などの具体的な数値がある場合は、条件の通りに数直線を描いてみると良いでしょう。

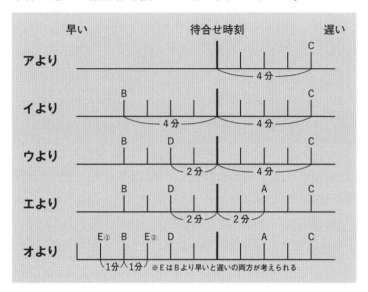

数直線から選択肢をチェックすると正解は「2」だとわかります。このように、**解法のツールに何を用いるのかを判断できるようになりましょう。**

コツ②：解き方のルールを知っておく

数的推理では、問題それぞれに、**解く際の決まったルールがあります。**これを知っておくことで時間をかけずに問題を解くことができます。

具体的に見ていきましょう。まずは円の回転に関する問題です。

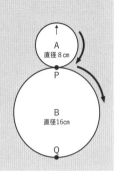

問3・数的推理

図のような直径8cmの円Aを、直径16cmの円Bの周りをすべらないように、Pの位置から時計回りに転がしながら1周させた。このとき図のQの位置で円Aの矢印が向いているのはどの方向か。

（選択肢）

1. ↑　　2. →　　3. ↓　　4. ←

このような円の回転問題には、**「外側を回るときは＋1回転」というルール**があります。そのため、円Aは円Bを1周すると3回転することになります。

直径の比

B（16cm）　：　A（8cm）

2　　　：　　　1　　＝2÷1＋1＝3回転

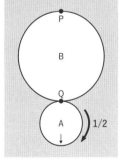

Qは半分回った位置ですので、この3回転に1/2を掛けます。つまり、3×1/2＝3/2で、Qの位置でAは1と1/2回転することになります。

1/2回転の部分に着目すると、矢印の向きは↓向きになるのがわかりますので、正解は「3」です。

同じように、ルールを知っておけば解ける問題を紹介します。

甲と乙が200m競走をした。甲がゴールしたとき、乙はその40m手前だった。甲と乙が同着になるためには、甲のスタート地点を何m下げればよいか。なお、甲と乙はスタート地点からゴールまでそれぞれ一定の速度で走る。

（選択肢）
1. 35m　　2. 40m　　3. 45m　　4. 50m

　この問題は、「速さの比と、進む距離の比は比例する」というルールを知っておくことで素早く解くことができます。
　まず、状況を把握するために図示します。

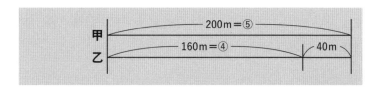

　上図から、甲が200m進んでゴールしたとき、乙はその手前40mにいますから、甲が200m進む間に乙は160m進んでいることがわかります。これを簡単な比にすると以下です。

甲：乙＝200m：160m　→　⑤：④

　ここから、甲が⑤進む間に、乙は④しか進むことができないことがわかります。2人が同着になるように、これを図に落とし込んでみると次ページの図のようになります。
　乙の④が200mに当たるので、甲をセットバックした①の部分（スタート位置から下げた部分）は、200mの1/4の50mということがわかります。したがって正解は「4」です。

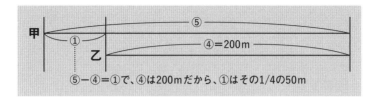

甲
① 乙
⑤
④＝200m
⑤－④＝①で、④は200mだから、①はその1/4の50m

　知っていれば素早く解けるのに、知らないとイチから考えて解かなければなりません。もちろん最初から考えて正解することもできますが、この解答時間の差は、制限時間のあるなかでは大きな意味を持つことになります。
「この問題が出たら、このやり方」という自分にとっての最速な解法のレシピをできるだけ用意しておきましょう。

コツ③：選択肢をフルに活用する

　問題文から考えなくても、**選択肢を活用することで解ける**問題もあります。次の問題を見てください。

問5・数的推理

連続する3つの自然数の積が1716であったとき、この3つの数の和は次のうちどれか。

（選択肢）
1. 27　　2. 30　　3. 33　　4. 36

　この問題は、「3つの自然数の和」となっていますので、それぞれの選択肢を3で割れば、連続する3つの数の真ん中の数がわかります。そこから連続する3つの数を出し、それらを計算して問題文にある「1716」と合致する選択肢を見つければいいわけです。

```
      真ん中の数      連続する３つの数の積
         ↓              ↓
1. 27÷3＝9       8 × 9 ×10＝720      NG
2. 30÷3＝10      9 ×10×11＝990      NG
3. 33÷3＝11     10×11×12＝1320     NG
4. 36÷3＝12     11×12×13＝1716     OK！
```

正解は「４」です。**どう手を打ったらいいか途方に暮れて
しまう問題は、選択肢を当てはめてフル活用**しましょう。

コツ④：問題のウラを読む

「ウラを読む」というのは、確率の問題の解法にある「余事
象」と似ています。余事象の例は以下です。

問6・数的推理

**100円硬貨を４枚同時に投げたとき、少なくとも１枚は表が出
る確率はいくつか。**

このように「少なくとも」と問題文にあったら「余事象」
を使いましょう。「少なくとも１枚は表が出る」確率を出すよ
りも、ウラを読んで「全部裏が出る」確率を出しておいて、全
体（＝１）から引いたほうが素早く解くことができます。

```
 ①   ②   ③   ④
 裏   裏   裏   裏    1/2×1/2×1/2×1/2＝1/16
1－1/16＝15/16
↑   全体は16/16（＝１）のため、正解は15/16
```

　判断推理の条件文を見たときも、たとえば「数学の先生は、理科の先生とよく映画を観に行く」とあれば、ウラを読んで、瞬間的に「数学の先生と理科の先生は別人なんだな」ととらえるようにしてください。「英語の先生は、AとBを食事に誘った」とあれば、すかさずウラを読んで「AとBは英語の先生じゃないな」とつかみとるわけです。

　数的推理の条件文も同じです。たとえば次のような条件が与えられたとします。

（条件文）
修学旅行の参加者が旅館に宿泊することになった。6人部屋だと2人あまり、7人部屋だと3人あまり、8人部屋だと4人あまる。（後略）

　条件文のそのままに、「2人あまり」「3人あまり」「4人あまり」と読むといかにもバラバラなのですが、以下のようにウラを読んでみると、すべてが「4人不足」でそろうことになります。

6人部屋：2人あまり→「あと4人いれば」部屋は定員になる
7人部屋：3人あまり→「あと4人いれば」部屋は定員になる
8人部屋：4人あまり→「あと4人いれば」部屋が定員になる

　あとは、ここを突破口に問題を解いていけばいいわけです。では、次の例題に挑戦してみてください。

52枚（1組）のトランプから、表の数字が見えないようにカードを引くとき、同じ数のカード2枚を確実に引くためには、最低何枚のカードを引けばいいか。

　この問題もウラを読んで、「同じ数のカード2枚を確実に引くためには」を「同じ数のカードがそろわないように最高で何枚まで引くことができるのか」と読み解きます。

　同じ数のカードがそろわないようにカードを引いていった場合、1〜13になりますから13枚が最高ですね。この状態であと1枚引けば必ず同じ数のカードが2枚そろう、といえるわけです。つまり13＋1＝14で、正解は「14枚」です。

　解法の原則は「トライアル＆エラー」です。やってみてダメなら、素早く別のやり方を試みてください。「押してもダメなら引いてみな」です。そうして正答に至るしなやかな感性を身につけてください。そしてそのためにも、**解法の引き出しをできるだけ多く用意**しておきましょう。

POINT

1 問題と解法のマッチングをつかもう。

2 解き方のルールを知っておこう。

3 選択肢をフルに活用＆問題のウラを読もう。

CHAPTER 4

合格作文が
簡単に書ける
オススメ勉強法

続いては、書くことが苦手な人でも「合格点の作文・小論文」が簡単に書けるようになる、とっておきの勉強法を解説します。まずは「公務員試験で求められる作文・小論文」とは何かを知り、そのうえで、合格するためのノウハウをマスターしましょう。

文章が下手でも 合格できる

📖 公務員試験で目指す作文・小論文とは？

　世間一般でいわれる「いい作文・小論文」とは、どんなものでしょうか。

「構成がしっかりしている」「面白いエピソードが語られている」「自分の意見がはっきり示されている」など、作文・小論文を評価するポイントは、さまざまにあります。そのため、Aさんにとってはいい作文・小論文でも、Bさんは「全然面白くない」と感じることも珍しくありません。作文・小論文とは、元来そういうもので、誰が見ても「いい作文・小論文」など存在しないのです。

　では、公務員試験の受験者は、どのような作文・小論文を目指せばいいのでしょうか。それは**「公務員試験で求められる作文・小論文」**です。このことを絶対にはき違えないでください。

「作文・小論文が苦手」「文章が下手」などといって、作文・小論文を敬遠する人がいます。でも、公務員試験の作文・小論文では、素晴らしい構成や巧みな表現力などは求められま

せん。

ですから苦手意識を持つことなく、どんな人も安心して作文・小論文の勉強に取り組んでほしいです。**公務員試験で求められる作文・小論文を書くことは、誰にでもできます。**

作文・小論文での一発逆転合格はない

では、公務員試験の作文・小論文では何が求められているのかを整理しましょう。

作文・小論文試験は、一次試験で行われることもあれば、二次試験で行われることもあります。ただし、実施時期が違っても、**作文・小論文の評価が合否に関係してくるのは、二次試験**です。仮に一次試験に作文・小論文があっても、その段階では、作文・小論文の内容は評価されません。二次試験の面接と同じタイミングで評価されるのです。

このことが何を意味しているか、わかるでしょうか。

作文・小論文試験は、筆記試験などを経て合格ラインに達している人に対して「作文・小論文はきちんと書けているかな」という感じで**最終チェックされる**のです。極端にいえば、作文・小論文は次のような形で評価されています。

合格ラインに達している人 or 合格ライン上の人が評価対象

→ある程度しっかりとした作文・小論文を書いているか。

あまりにひどいものではないか、をチェック。

→問題があれば不合格。問題がなければ合格

作文・小論文の評価方法が公開されているわけではありません。ですから「絶対にこの形で評価されている」とはいい切れませんが、**合格ラインに届いていない人が作文・小論文によって一発逆転することは、あり得ない**のです。

　ですから、公務員試験の作文・小論文には、卓越した表現力もセンセーショナルなエピソードも、必要ありません。**求められているのは、オーソドックスで、しっかりとした作文・小論文**なのです。

　このことをまずはしっかりと頭に入れておきましょう。

CHAPTER
4 02

合格作文を書くための「外見的７つの鉄則」

📖 作文・小論文は「外見重視」

作文・小論文というと、構成や表現、エピソードや自分の考えといった「中身」ばかりを意識してしまいます。でも、**オーソドックスで、しっかりとした作文・小論文を書くには「外見」のほうがはるかに重要**なのです。ここでは、外見で大切な７つのポイントを解説していきます。

①丁寧な字で書く

以前に公務員試験の担当者から、汚い字の作文・小論文は、読んですらもらえないという話を聞いたことがあります。ですから、**丁寧な字で書く**ことが大前提です。字がうまいかどうかより、丁寧に書いていることが重要なのです。

ですから「自分は字が下手だ」と思っている人は、特に意識して丁寧に書くように心がけましょう。字の大きさも、あまり小さすぎて読みにくいのはNGです。薄くて、かすれたような字も避けましょう。

読み手（採点者）に伝わる文章を書くうえで、もっとも欠かせないのは、**相手に対する誠意**です。

実際に作文・小論文の採点を担当した方から、１週間ほとんど徹夜で採点したことがある、と聞いたことがあります。だからこそ、「採点者に読んでいただく」という気持ちで、誠意を持って丁寧に読みやすい字を書きましょう。

②誤字・脱字をなくす

　字が間違っている「誤字」や文字が抜けている「脱字」があると**減点**になります。国語の勉強にもなりますから、普段から辞書を引く癖をつけて、**正確な漢字が書けるようにしておきましょう**。もしも本番の試験で、漢字の記憶があいまいな場合には、別の言葉にいい換えましょう。

　また、「れる・られる」の表記が間違っている、いわゆる**「ら抜き言葉」にも注意が必要**です。

「食べれる」は「食べられる」、「見れる」は「見られる」です。ら抜き言葉を日常的に使っていると、試験本番で間違いに気づくことができません。友だちとメールやSNSのやりとりをするときから、気にしておくといいでしょう。

　添削をしていて誤字・脱字や「ら抜き言葉」に出くわすと、そこで目が留まる、という話も採点を担当した方から聞いたことがあります。この間違いだけで一発不合格ということはありませんが、全体の印象が悪くなることは間違いないでしょう。何か所もあれば、国語力を疑われてしまうことにもなりかねません。気をつけたいところです。

③文字数を守る

　公務員試験の作文・小論文では、600字以内、800字以内、

1000字以内など文字数が決まっています。しかし、この制限内なら何文字でもいいというわけではありません。やはり**制限文字数の８割以上は書く**のが常識です。600字以内という条件で300字しか書かなければ、それは「オーソドックスで、しっかりとした作文・小論文」とはいえないのです。

当然ながら、**制限数をオーバーしても減点**になります。

④下書きなしで一発で書く

意外に感じるかもしれませんが、公務員試験の作文・小論文では、**下書きなしで一発で書く**のも大切な要素です。

試験で使用される用紙は、一般的な原稿用紙もあれば、罫線だけが引かれたものもありますが、いずれにしても、**紙を汚さず、きれいな状態で提出する**ことが大切です。そのためには、一気に書き上げることが求められます。

たとえば、裁判所事務官の試験では、ボールペンで書くことが義務づけられています。また、鉛筆が使える場合でも、多くの範囲を消しゴムで消した跡があると、採点者には悪い印象しか与えません。

書き直しをすると時間もロスするので、練習段階から一気に書き上げるように心がけましょう。私の経験からいっても、**できの良い作文・小論文は答案がキレイ**なものです。

⑤文体を統一する

公務員試験の作文・小論文は公的な文章ですから、本来は読み手に対して簡潔な印象を与える**「だ・である調」で文末**

をきちんと**統一**しなければなりません。ただ、どうしても「だ・である調」が苦手な人は、読み手にやわらかな印象を与える「です・ます調」に統一します（それでも良いことは実際の採点者の方に確認済みです）。**「です・ます調」と「だ・である調」が混在するのは論外**です。

⑥一文は短くする

1つの文は、できるだけ短くするように注意しましょう。とりわけ、出だしの1文はできるだけ短くして、読み手（採点者）がスムーズに読み進められるようにしたいものです。

短い文を書くためには、「一文一意」を心がけるのが一番です。**一文一意とは、1つの文のなかに1つの事柄だけを書く**ことです。これにより、必然的に短い文が書けるようになり、文法上のミスも防ぐことができます。

⑦わかりやすい言葉で書く

試験用の作文・小論文だからといって、無理にカッコイイ表現をする必要はありません。若者言葉を使ったり、友だち同士の会話のような文章を使ったりするのは論外ですが、難しい言葉やまわりくどい表現よりも、**わかりやすい言葉を使うようにしましょう**。多少つたない文章でも、真面目に誠実に取り組んでいることが読み手に伝われば問題ありません。

139ページで述べたように、公務員試験の作文・小論文は、**合格ラインに達している人に対する最終判断の材料**としてチェックされるものです。その段階で、カッコイイ文章を書いて得点を稼ぐ必要はありません。しっかりとした作文・小論

文であれば、作文・小論文が原因で不合格になる心配はない
のです。気張らず、肩の力を抜いて書きましょう。

　以上が、公務員試験で求められる外見的な作文・小論文の
ポイントです。一般にいわれている「文章のうまい、下手」
とはかけ離れた要素も多いでしょう。次ページからは、構成
の仕方、エピソードの使い方など、作文・小論文の中身につ
いて解説していきますが、ここで説明した7つのポイントが
クリアされていなければまったく意味をなしません。
「公務員試験の作文・小論文は外見重視」ということを絶対
に忘れないでください。

POINT

1 作文・小論文では、「外見」が重要。
採点者に対して誠意を持って丁寧に書こう。

2 誤字・脱字、ら抜き言葉などに注意しよう。

3 少なすぎずオーバーしない、適切な分量で書こう。

4 下書きをせずに一気に書き上げよう。

5 「だ・である」調で書くのを基本とし、
「一文一意」で端的に書こう。

6 カッコイイ言葉ではなく、わかりやすい言葉で書こう。

合格作文の４つのステップ①
「エピソード」型 テンプレートで組み立てる

📖 作文・小論文が簡単になる魔法のテンプレート

　作文・小論文を書く際、もっとも重要なのが構成です。「どのような構成にするか」が決まれば、作文・小論文を書くこと自体はそれほど難しくありません。苦手とする人の多くは、じつは、構成が苦手なのです。

　公務員試験では、巧みな表現などは求められていません。ごく普通の文章で構成通りに展開していけば、それなりの作文・小論文ができあがります。それで十分なのです。

　そこでまずは、基本の構成パターンを覚えましょう。

　600字以内、1000字以内など、試験によって文字数に多少のばらつきはありますが、どんなケースでも基本構成は「４つのステップ」でつくられます。

　そしてこの４つのステップには、「２つのテンプレート」があります。①「エピソード」型と②「たしかに・しかし」型です。

　ここでは、自己PRや志望理由など、自分についてのテーマを書くときにぴったりな「エピソード」型を紹介します。

「エピソード」型テンプレート（構成）

①結論（はじめに）➡ ②エピソード ➡ ③考え ➡ ④結論（まとめ）

スタート ゴール

①〜④のステップのうち、もっとも重要なパーツは、②「エピソード」です。これだけはその人の体験に基づくもので、頭のなかでつくり出すことはできないし、誰かが教えることもできません。だからこそ、ここで、ほかの受験生との差別化を図りたいところです。

その人ならではの**個性はエピソードで語る**のが一番です。「私は責任感があって前向きな性格です」といくら話したところで、相手は簡単には納得してくれません。「責任感があって前向きな人だな」と思ってもらえるようなエピソードを語ることで、はじめて相手に人柄が伝わるのです。

📖 気になるエピソードをノートに書き込む

「エピソード」型テンプレートの作文・小論文は、**体験に基づくエピソードを中心に構成され、エピソードに対してどう肉付けするかが合格のカギ**となります。

そこで登場するのが「サクセス・ノート 作文・小論文・面接編」です。作文・小論文と面接は似ている要素が多いので１冊にし、ノートに必要な情報やネタを集めたり、それらを練り直したりして作文・小論文や面接で使える形にしておきます。新聞記者の取材メモやお笑い芸人のネタ帳のようなも

のです。少しでも気になるエピソードがあったら、迷うことなく書き込んでおきましょう。

📖 ネタを４つのステップにあてはめる

「エピソード型」テンプレートの４つのステップにあてはめて、実際にシグマの生徒が書いた作文・小論文から抜粋したものを右ページにまとめました。課題は、**「公務員に必要な心構え」**です。ご覧ください。

このなかで重要なカギとなっているのは**「エピソードを膨らますための取材」**です。人から話を聞いたり、ニュースや新聞、インターネットで調べたりすることで、話に厚みを持たせることができます。

これらの情報は、規定の文字数に入らなければカットすればいいし、文字数が足りなければ増やすこともできます。

紹介した例では、「実際に現地に出向いて」「住民の声を多数聞いた」ことが効果を上げていて、行動力があって主体的に動けることや、素直で誠実な人柄が伝わってきます。

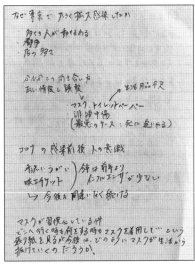

シグマの合格者が作成した「サクセス・ノート 作文・小論文・面接編」の一部。エピソードなどを書き込んでいく

合格者の「エピソード」型テンプレート

テーマ：公務員に必要な心構え

①結論 （はじめに）	「公務員に必要な心構えは、他人に寄り添い、多くの声に耳を傾けることだ」

②エピソード	「大学3年のとき、まちづくり実習を履修し、にぎわいのあるまちにするための提案をグループワークで実施した」
	「対象は、魅力ある地域資源がある一方で、現役世代の転出、居住者の高齢化が深刻な課題として挙げられる地域だ」
	「私たちのグループが大切にしたことは『住民目線に立つこと』『住民が感じていることをきちんと理解すること』だ」
	「そのために、私たちが実行したことは、『実際にその地域に足を運ぶこと』『自分たちで地域の魅力を感じ取ること』『住民から不満に思っていることを取材すること』だ」
	「住民の方々から直接取材することで、『こういうことを私たちは求めていた』『こういうことがあったら、良くなるかもしれない』と、多くの声を知ることができた」

③考え	「私が目指す公務員は、人々の生活を豊かにする行政サービスだと改めて実感した」
	「この経験を通じて、地域のことを一番に理解しているのは住民であることがよくわかった」
	「人々の生活をより良いものにするためには、住民の声に耳を傾けることが大事だと思った」

④結論 （まとめ）	「公務員に必要な心構えは、人に寄り添い、多くの声に耳を傾けることだ」

このくらい構成ができてしまえば、
作文・小論文にまとめるのは
難しくないはずです

①「はじめに」と④「まとめ」における結論部分は、あり
きたりでもかまいません。**シンプルかつストレートに結論を
述べたほうが、読み手（採点者）は読み進めやすいもの**です。
ですから、はじめの部分はできるだけ凝らずに簡潔にし、
まとめの結論部分も、さらっと終わらせましょう。そのほう
が、かえって余韻が残って読後感は良いものです。

　それよりも大事なのは、「大学３年のときに履修した実習」
という小さなエピソードから、結論までをどのようにつなぐ
かです。普段から小さなエピソードの周辺情報を取材して、
サクセス・ノート 作文・小論文・面接編に書き込んでおけば、
あらゆる場面で応用がききます。

📖 合格作文を書くための３つのネタ

　作文・小論文に使えるネタは、大きく分けて３つあります。

❶自分で体験したこと、他人から聞いた話
❷新聞やニュース、本を読んで知ったこと
❸それらについて自分で考えたこと

　この３つについて、日記をつけるようなつもりで毎日ノー
トに書いておくと、作文・小論文や面接で強力な武器になり
ます。「ネタを書こう」というと、使えるネタ・使えないネタ
の判断がつかず、「何を書いたらいいかわからない」という人
がいます。でもそれは、あとで考えればいいことです。

すべてのエピソードが作文・小論文で使える形に発展するわけではありません。だからこそ気になる事柄があれば、**まずは普段からなんでも書き留めておく**ことが大切なのです。

集めたネタは、面接でも活用することができます。

面接では、先の例でいうと、「現地に足を運んで、多くの住民の声を聞いた」という部分がかなりのセールスポイントになります。「大学３年のときに履修した実習」という出来事から、興味や好奇心、問題意識を持ってさまざまな情報を調べ、行動に移し、自治体のあり方を考えたことが説明できれば、パーフェクトな答えでしょう。

そのすべてを支えているのは、日々のネタ集め（取材を含む）だということを忘れないでください。サクセス・ノート作文・小論文・面接編を充実させれば、作文・小論文や面接をおそれる必要はまったくありません。

POINT

1 構成が決まれば、作文・小論文は簡単に書ける。

2 基本構成は４つのステップでつくろう。

3 自分についてのテーマを書くときは、テンプレートの「エピソード」型を使う。

4 気になるネタをどんどんノートに書き留めよう。

5 ネタを膨らますために取材しよう。

合格作文の4つのステップ②
「たしかに・しかし」型テンプレートを使う!

📖 是非を問う課題にぴったりのテンプレート

　次に紹介するもう1つのテンプレートは、「たしかに・しかし」型です。これは、時事問題や政策課題などの「是非を問う課題」に使いやすいです。公務員試験の作文・小論文では、論理的な文章が求められます。論理的な文章とは、あらゆる角度から検討して、自説と反対意見をピックアップし、それに対する反論と自説の根拠を明確に提示する文章です。その点でもこのテンプレートは有効です。

「たしかに・しかし」型テンプレート（構成）
　①結論（はじめに）➡ ②意見 ➡ ③理由 ➡ ④結論（まとめ）
　スタート　　　　　　　　　　　　ゴール

　①〜④のステップのうち、もっとも重要なパーツは、エピソード型同様に②の部分「意見」です。ここでは、まず「たしかに」のあとで自分とは反対意見を提示し、次の「しかし」のあとで自分の意見を述べるようにします。こうすることで、幅広い視野に立っていることを示せます。「自分は、あれこれ

考えたうえでこの意見を採用している」というわけです。

　以前、採用担当者の方から、時事問題や政策課題などの是非を問うような課題の場合は、「たしかに」と「しかし」というワードを使って書くと良いことを教えてもらいました。作文・小論文を採点するときには、この構造が使われているか（「たしかに」「しかし」の文言が文中にあるか）どうかを真っ先にチェックするそうです。覚えておきましょう。

　このタイプの課題を書くときの手順は、次の通りです。

❶論点をはっきりさせる。
❷賛成、反対の理由を欄外にメモとして書き出す。
❸自分の立場（賛成か反対か）を決める。
❹自分とは反対の立場に留意しつつ、自分の主張を展開する。

　説得力のある文章は、相手の考えにも配慮して十分考えたうえで、誠実に説得しようとする書き手の姿勢から生まれるのです。

📖 ネタを「４つのステップ」にあてはめる

　では、「たしかに・しかし型」テンプレートの４つのステップにあてはめたものを紹介します。155ページをご覧ください。これも、実際に生徒が書いた作文・小論文から抜粋したもので、課題は**「関心のあるニュースについてあなたの考えを述べよ」**です。自分だったらどのような構成をするか、考えながら読んでみると、より参考になると思います。

具体的に、実際に書くときのコツを2つ紹介します。

　1つ目は、**「書き出しの文言をあらかじめ決めておく」**です。

　②「意見」のところで、「たしかに、〜」「しかし、〜」とするのはもちろん、③「考え」の書き出しを「なぜなら〜」、④「結論（まとめ）」の書き出しを「以上より〜」とすることを、最初から決めておきます。右ページの例でいうと、次のようにカッコ内のワードをあらかじめ決めておくのです。

②意見：（たしかに）最初、自治体の依頼に応じなかった男性の行動は問題だ。

　（しかし）私は自治体が犯したミスは、男性の行動以上に大きな問題だと考える。

③考え：（なぜなら）自治体の仕事は住民が安心・安全に生活できるように環境整備を行うことであり、自治体の行動1つで住民に大きな影響を与えるからだ。

④結論（まとめ）：（以上より）私は自治体の行動の見直しがとても重要だと考える。

　このように、書き出しのワードを自分で使いやすい文言に決めておくと、スムーズに書き進めることができます。

📖 「早い話が」を使って端的に書く

　2つ目は、**「結論の部分を端的にするために、『早い話が』に続けて書く」**です。

合格者の「たしかに・しかし」型テンプレート

テーマ：関心のあるニュースについてあなたの考えを述べよ

①結論 （はじめに）	「関心があるのは、山口県阿武町でコロナ給付金を1人で4,630万円受け取ったニュースだ」 「私は自治体が犯したミスは、男性の行動以上に大きな問題だと考える」

②意見	「たしかに最初、自治体の依頼に応じなかった男性の行動は問題で、大金が送金されたことに対し、自治体に問い合わせるなどの対応が必要だろう」 「しかし、私は自治体が犯したミスは男性の行動以上に大きな問題であり、見直しが必要だと考える」

③理由	「なぜなら、自治体の仕事は住民が安心・安全に生活できるように環境整備を行うことであり、自治体の行動1つで住民に大きな影響を与えるからだ」 「山口県阿武町では、『空き家バンク』の取り組みを積極的に行っていて、移住者獲得にすばらしい成果を上げている」 「しかし、どんなに魅力的な政策がとられていても、ミス1つ犯しただけで自治体全体の信用問題につながってしまう」 「仕事をしていくうえで、確認作業はとても重要だ」 「私も時々あわててしまい、ケアレスミスをしてしまうことがあり、このニュースは自分の行動を見直すきっかけとなった」 「仕事に就いたらしっかりとチェックし、かつダブルチェックを忘れずに内外の信頼を大切にしたい」

④結論 （まとめ）	以上より、私は自治体の行動の見直しがとても重要だと考える。

一方的な意見にならないように、「たしかに」「しかし」を交えて論じることが大切です

「はじめに」と「まとめ」の結論部分が冗長な文章になってしまう人は多いものです。そこで、次のように「早い話が」という文言に続けて書きましょう。これにより、簡潔に書くことができます。もちろん「早い話が」と実際に書くのではなく、口のなかでつぶやいてください。

（早い話が）関心があるのは、山口県阿武町において、コロナ給付金を1人で4,630万円受け取ったニュースだ。
（早い話が）自治体が犯したミスは、男性の行動以上に大きな問題だと考える。

　最後にもう1つ有効なワザとして、**「はじめに」の書き出しが決まったら、次に「まとめ」も決めてしまいましょう。**まず書き出しの1文を考えて、次に結びの1文も考えるのです。これにより、途中で文章が迷走することを防げます。

POINT

1 是非を問う課題は、テンプレートの「たしかに・しかし」型を使う。

2 書き出しの文章をあらかじめ決めておこう。

3 端的な文章にするために「早い話が」を使おう。

CHAPTER
4 05

作文・小論文の勝敗は
ネタの仕込みで決まる

📖 ぶっつけ本番では、合格作文は書けない

　試験会場でゼロから作文・小論文を構築しようとしている
人は、残念ながらすでに勝負に負けたようなものです。**作文・
小論文の勝敗を分けるのは、いかにネタを仕込んできたか**に
尽きます。

　公務員試験の作文・小論文で出されるテーマは、だいたい
決まっています。出題側も、いきなり突飛な課題を与えて受
験生たちのアイデアや構成力、対応力を試そうとはしません。
むしろ、**必要なことを必要なレベルで準備しているかどうか
をチェックしたい**だけなのです。

　似たようなテーマが何度も出されるということは、「過去の
出題傾向を確認し、よく出るテーマについてしっかり準備し
ておくように！」というメッセージでもあります。その準備
を怠れば、それだけ減点されるのも当然です。

　科目別の勉強法でも触れたように、**公務員試験は「問われ
ていることにしっかり答える」**ことが大事で、それは作文・
小論文試験でも同様です。

ここで、よく出される4大テーマを紹介します。

①**自分のこと**：受験生の人柄を確認するためのテーマ
「失敗から学んだこと」
「私の心に残った出会い」
「10年後の私」
「あなたの強みは何か、その強みを仕事にどう活かすことが
　できるか」
「物ごとを継続するために、必要だと感じたこと」
「あなたの考えを他人に理解してもらうために大切だと思う
　ことは何か、経験を踏まえて述べなさい」
「あなたの座右の銘は何か。
　また、その銘を今後どう活かしていくのか」……など

②**時事問題**：社会の動きに関心があるか、
　　　　　　　それをどう思っているかを問うテーマ
「関心のあるニュースを述べ、あなたの考えを述べよ」
「高齢者がいきいき暮らせる社会について」
「定住する若者を増やすにはどうしたらよいか」
「SNSやインターネットを使ううえで注意すべき点について」
「AI（人工知能）の進化について」
「レジ袋有料化の是非について」
「地球温暖化が原因と考えられる地球環境の変化に対して、
　今後どのようなことに取り組む必要があるか」……など

③**公務員について**：公務員の仕事をどのように
とらえているかを問うテーマ

「公務員としての心構え」

「あなたが目指す『公務員像』について」

「あなたが考える『信頼される公務員』とは
どのようなものか」

「あなたが考える公務員の仕事の魅力とやりがい」

「『公務員としての自覚』という言葉から、あなたが思うこと
について」

「市民が公務員に期待していることは何か」

「いま公務員に求められる『倫理観』について」……など

④**志望動機・仕事について**：仕事に対する意欲、考え方を
問うテーマ（「○○」の部分には、県職員、市職員、
消防士、警察官など具体的な職名や地名が入ります）

「なぜ、○○を志望したのか」

「あなたが考える理想の○○とは？」

「あなたが○○となって取り組みたいこと」

「○○市の好きなところと、それをPRするために職員として
取り組みたいこと」

「報告・連絡・相談について」

「職場とチームワークについて」

「仕事を円滑に進めるために、どのようなことに気をつけて
職場の先輩とコミュニケーションをとっていきたいか」
……など

以上が繰り返し出される作文・小論文のテーマです。ほかにも、国家一般職の大卒程度や地方上級の試験の一部では、表やグラフなどの資料を読み取って、それについて答案を作成するテーマが出されることがあります。

📖 ネタを4つのステップに当てはめてまとめる

　試験会場でゼロから考えていたら、いくら時間があっても足りません。そのため、先に紹介したそれぞれのテーマについて、**普段からネタを集めておく**ことが必要です。

　そして、ネタを収集したときは、できるだけ「4つのステップ」に構成しておくことを心がけてください。ネタというのは、料理の素材のようなもので、それを皿に盛るだけでは客前に出すことはできません。かといって、いちいち料理をつくる（作文・小論文を書く）というのは、時間と手間がかかりすぎます。

　そこで、素材（ネタ）を仕入れたら、簡単にレシピをまとめておくのです。レシピとは、いうまでもなく、セクション3、4で紹介した「4つのステップ」です。

　いかなる課題・テーマであっても、自分なりのエピソード（ネタ・素材）を中心に構成することに変わりはありません。「実体験を通じて、こんなふうに思うようになった」「自分はこんなふうに成長した」というスタイルが基本となります。

📖 エピソードは平凡でも大丈夫

作文・小論文の骨格を端的にいえば、「エピソード→結論」という流れです。とはいえ、そのエピソードは、すごい経歴や成果といった、特別な内容である必要はありません。**エピソード自体は平凡でも、そこから見つけ出したものが大事**なのです。

平凡なエピソードのなかから、何を取り出して印象深いものにするのかが腕の見せ所です。もともとは小さなエピソードでも「4つのステップ」を意識して情報に厚みを持たせておけば、結論までの流れが非常にスムーズになります。この作業がレシピづくりです。

これをしっかりやっておけば、試験会場でサクセス・ノート 作文・小論文・面接編の中身を思い出しながら、もっともテーマに即した題材・構成を選択することで、立派な合格作文を書くことができます。

POINT

1 作文・小論文では、
いかにネタを仕込むかが勝負を分ける。

2 試験でよく出されるテーマについて、
普段からネタを探しておこう。

3 エピソードは平凡でもOK。そこから何を
取り出して印象深いものにするかがポイント。

試験本番での
正しい時間の使い方

📖 焦らず、じっくり構想を練る

試験会場では、いきなり作文・小論文を書きはじめないように注意しましょう。

143ページで「一発で書くことが大事」と述べたように、ある程度書いてから消しゴムで消して書き直す、という失敗は避けなければなりません。**できが良い答案は見た目もきれい**なものです。だからこそ、**じっくり構想を練ってから、書きはじめる**ことが大事なのです。

具体的な時間配分は、次ページの通りです。試験時間が50分の場合、最初の25分で焦らずにじっくり時間をかけられるかが勝負の分かれ目です。「『はじめに』と『まとめ』の結論は何がベストか」「どのエピソードを使おうか」など、できるだけ具体的なイメージをつくってしまいましょう。

このとき、試験までの事前準備がしっかりできていれば、サクセス・ノート 作文・小論文・面接編に書いてある内容を再編集するだけで十分なレベルの構成がつくれます。落ち着いて取り組みましょう。

作文・小論文試験の時間の活用法

(50分・600字。13時スタート)

ステップ1：構想を練る　20分　(〜13:20)

最初の20分で構想を練る。課題は理解するだけでなく、気持ちを落ち着けるためにも3回読む。

ステップ2：構想を決定する　5分　(〜13:25)

ここまでじっくりと時間を取り、あとで書き直しが発生しないようにすることが大切。

ステップ3：一気に書き上げる　⏱25分　(〜13:50)

📖 他人のペースに惑わされない

　往々にして、慣れていない人ほど構想に時間をかけることができないものです。周囲の人がカリカリと音を立てて鉛筆を走らせているので、つい焦ってしまうのです。

　しかし、構成ができていない状態で書きはじめても、うまくいかないのは目に見えています。途中で迷走してテーマからかけ離れた結論になったり、8割以上書くことができなかったりして、「オーソドックスで、しっかりとした作文・小論文」という最低ラインに届かない危険性が出てきます。

　他人のペースに惑わされず、自分のスタイルを貫くことが成功への道です。そして、試験本番で自分のスタイルを貫く

ためにも、自分なりのペース配分を決めておいて、かつそのペースで書くことに慣れておく必要があります。

そこで、**週に一度は「作文・小論文の日」を設けましょう。**週のはじめでも週末でもいいので、毎週決まった日に自分の受験先の条件（字数・頻出テーマ・制限時間など）に合わせて１つ作文・小論文を書きます。

６か月の準備期間があるので、最低でも24回は作文・小論文を書く計算です。筆記試験対策でなかなか時間が取れないと思いますが、しっかり書くようにしましょう。毎回、異なるテーマで書けば、試験本番のときに活用できます。

数多くの合格者の作文・小論文を添削してきた私の経験上、これだけの準備をしておけば、作文・小論文が原因で試験に落ちるということはまずありえません。ぜひ、信じて取り組んでほしいと思います。

最後に、より具体的な合格作文の書き方については、拙著『合格率９割！ 鈴木俊士の公務員試験「作文・小論文」の書き方』（KADOKAWA）も参考にしてみてください。

POINT

1 じっくり構想を練ってから書きはじめよう。

2 他人のペースに惑わされずに自分のスタイルで書こう。

3 週に１日、作文・小論文の日を決めて１本書こう。

CHAPTER 5

人物重視で重要度が高い面接で合格をつかむ

公務員試験の面接では、一般的な面接スキルに加えて、公務員試験ならではの必要な準備があります。これを知らなければ、うまく切り抜けることはできません。面接試験の重要な情報を交えて解説しますので、しっかりと読んで準備を万全にしましょう。

面接官が
重視していることとは？

📖 人間らしさあふれる魅力を伝えよう

　一次試験が筆記試験であるのに対し、二次試験は「面接」です。これを攻略するには、面接官が何を見ているのかを知る必要があります。

　面接官は一定のチェックポイントを持っていて、そのポイントごとに好印象を与えられれば加点され、マイナスな言動があれば減点されます。しかし、大前提として**「一緒に働きたいと思える人を求めている」**ことを忘れてはいけません。

　もしも自分が逆の立場（面接官）だったとしたら、どのように受験生たちを見るでしょうか。

　面接に駒を進めた受験生は、筆記試験に合格した人たちばかりなので、基本的な学力はクリアしています。そのうえで何を見るかといえば、やはり**「この人と一緒に働けるか」「楽しく、充実した仕事ができるか」**という部分が中心となります。面接を受けるときは、これを一番に意識してください。

　「自分は立派な人間です」と過度に主張するのではなく、「真面目さ」「明るさ」など、この人と一緒に働きたいと思っても

らえるような魅力を伝えることを心がけましょう。

📖 面接官が見ている6つのポイント

　では、具体的に、面接官がどんなポイントをチェックしているのかを見ていきます。ポイントは6つです。

①**外見力**：服装や身だしなみがきちんとしているか、立ち居
　振る舞いはキビキビしているか、あいさつがしっかりでき
　るか、姿勢は良いか、など。

　立ち居振る舞いに関しては、靴のかかとがついているか、手の指先はピンと伸びているか、などの細かい点までチェックされますから、細心の注意をはらってください。
　多くの面接官の方が口をそろえていうことは、「**入室してから着席するまでの間に、この人を採用するかどうかを決めている**」です。「それなら、そのあとの面接はなんのためにやるの？」と思う人もいるかもしれませんが、面接では、自分の直観が正しいかどうかを見極めているのです。
　それほど第一印象は大事ということですから、好印象を与えるように努めましょう。

②**協調性**：他人と協調できそうか、人の意見を尊重できるか、
　など。

　公務員の仕事はたいていチームで動きます。ほかのメンバ

ーと協力できないようでは、いくら優秀であったとしても仕事にならないのです。

　協調性のある・なしが一目でわかるのが、「集団討論」です。事務系、公安系を問わず行われる集団討論では、文字通り受験者がいくつかのグループに分かれ、１つのテーマについて討論します。その際には、協調性を出せるように前向きに議論に参加し、グループ全体の意見をまとめることに力を注いでください。

📖 合格者に見られる３つの特性

　これまでに何度か触れてきましたが、合格者に見られる３つの特性は、**積極性、素直さ、真面目さ**です。面接では、これらについても見られます。

③**積極性**：熱意があって積極的か、前向きで向上心はあるか、など。

　誰だって、自ら目標設定し、それを達成することで成長し続けていく前向きな人と一緒に働きたいものです。積極性については、40ページでも解説していますので、今一度確認しておきましょう。

④**素直さ**：背伸びしないで等身大の自分を見せているか、素直で伸びしろがあるか、など。

　面接試験において、自分を良くみせようとしてウソをつくような人は、組織に必要とされません。**素直に自分のありのままの良さをアピール**しましょう。

⑤**真面目さ**：誠実で信頼できるか、真面目で責任感があるか、など。

　聞かれたことに、誠実にしっかりと答えることが大事です。面接以外の場面でも、筆記試験などで「鉛筆を置いてください」といわれたらすぐに置かなくてはなりません。「机の上に置いてある用紙をめくらないように」「書類は持ち帰らないように」と指示されているにもかかわらず、用紙をめくったり、持ち帰ったりしてはダメなのです。

　事前に配布された面接試験の案内に、「当日、面接会場には公共交通機関を使って来てください」と書いてあれば、当然マイカーで乗りつけてはいけません。関係者に見られなければ大丈夫だろう、などという甘い考えは抱かないことです。

誠実に、指示されたことをきちんと行いましょう。

　また、面接会場のビルで１つ上の階に行く程度のときは、エレベーターではなく階段を使うようにします。ビルの一般の利用者を優先するのです。面接会場がビルの高層にあるなど、エレベーターを使わざるを得ない場合には使用しても問題ありませんが、ほかの利用者と乗り合わせたら、行先を聞いてエレベーターのボタンを押す気遣いをしましょう。

　シグマで開いた採用説明会で採用担当者の方が、「面接試験

当日は、家に帰るまでは気を抜かないようにしてください。試験が終わったからといって、帰りに飲みに行ったりしてはいけません。どこかで誰かに見られている、と思ったほうがいいでしょう」と、話してくれたことがあります。

　いつでも、どこでも面接官に見られているかもしれないと考え、**常に誠実でいる**ことが大切なのです。気をつけてください。

📖 自分のことを正しく伝えることが重要

　面接では、ここまでに挙げた①～⑤のことを相手（面接官）にしっかりとアピールします。そのときに必要とされるのが、６つ目のポイントである「表現力」です。

⑥表現力：ハキハキ話せるか、言葉遣いは正しいか、話の内容に整合性があるか、自分の意見をわかりやすく説明できるか、など。

　仕事の場では、上司や同僚、あるいは地域の住民に、自分の思いを、正しく、わかりやすく、伝える必要があります。親友同士のようなテレパシーは、初対面の住民には通じません。言葉足らずや見当違いの言動に対して、「あいつはいいやつだから」などと大目には見てもらえませんから、面接でも、**自分の意見をしっかりと伝えましょう。**

　面接官は、おもにこれら６つのポイントを見ています。

　そして、面接においてもう1つ大切なのは**バランス感覚**です。6つのポイントのうちのどれか1つで群を抜いたスキルを見せたとしても、たとえば他人との協調性が見られなければ、「この人と一緒に働きたい」とは思われないのです。

　外見や立ち居振る舞いに問題があれば、第一印象から相当なハンディキャップを背負うことになります。そのあとでどんな話をしても、ネガティブにしか受け取ってもらえないでしょう。または、どんなに積極性があっても誠実さが欠けていたら、「この人に仕事を任せよう」という気は起こりません。

　自分のセールスポイントを押し出すことも大切ですが、公務員試験の面接において「際立った個性」は不要です。決定的なミスをしないようにバランス感覚を身につけましょう。

POINT

1 面接試験では「一緒に働きたい人」を探している。

2 見られるのは、次の5つ。
❶外見力 ❷協調性 ❸積極性 ❹素直さ ❺真面目さ
この❶〜❺をアピールする「表現力」も大切。

3 バランス良くアピールすることが合格への近道。

4 際立った個性より
「真面目さ」「素直さ」をアピールしよう。

CHAPTER 5 | 02

求められるのは
話すことよりも「聞くこと」

📖 相手の話を聞くことに神経を集中

　面接というと、「自分のことをいかに上手に話すか」が重要だと思っている人がたくさんいるものです。しかし、その認識は間違っています。大切なのは **「話すことより、聞くこと」** です。

　「人間は一枚の舌と二つの耳を持って生まれてきた。ゆえに、話すことの2倍聞け」

　これは古代ギリシャの哲学者・ゼノンの言葉です。面接において、話すことはもちろん大事です。しかし、一方的に話し続けていれば、相手（面接官）は引いてしまうでしょう。

　集団面接や集団討論でも、**相手の話をきちんと聞く**ことが大切です。自分のことは熱心に話すけれど相手の話は聞いていない人とは、たいていの人は、一緒に仕事をしたいとは思わないはずです。面接官も例外ではありません。

　だからこそ面接では、相手の話を聞くことに神経を集中させて、より良い印象を与えることが重要なのです。「何を話すか」と同様に「きちんと聞いているか」をチェックされてい

目指すのは「話し上手」ではなく「聞き上手」

公務員の面接試験で求められるものは……

- コミュニケーション能力
- 素直さ
- 誠実さ

- プレゼンテーション能力
- 討論の上手さ
- 人を驚かせる発想力

だからこそ……

- コミュニケーションを重視し、
  自分をPRしつつ、
  面接官の話もしっかりと聞く。

  ➡面接官から「話していて気持ちがいい」、
  だから「一緒に働きたい」と思ってもらえる。

- 相手の話をあまり聞かずに、
  自己PRを一方的に行ってしまう。

  ➡面接官から「優秀なのはわかるし熱意も感じるけど、
  一緒に働くのは難しいかも……」と思われてしまう。

> 緊張すると一生懸命に話そうと
> 思ってしまいがちです。
> 話すことだけに夢中に
> ならないようにしましょう

ることを意識しましょう。

　また、集団討論では、ほかの受験生の話を最後まで聞くだけでなく、**ほかの人が何を話したかもきちんと覚えておきましょう**。シグマの卒業生が、集団面接の途中で「あなたは○番の人の意見について、どう思いますか?」と振られて真っ青になったと話してくれたことがあります。次に自分が話すことばかりを考えてしまって、ほかの人の話を聞いていなかったのです。注意しましょう。

📖 間を取ってから明るく返事するのが好印象

　誰かと一緒に面接練習をするときは、**うなずき方や相づちの打ち方などの話の聞き方**を特にチェックしてもらいましょう。集団討論の練習を長年やってきて特に思うことの1つは、うなずいたり相づちを打ったりすることが、自然な形でできない人が多くなってきたことです。意識しましょう。

　また、面接練習の際によく見かけるのが、面接官が質問を話し終わる前に話しはじめてしまう人です。
「この質問がきたら、こう答えるぞ」「これを聞かれたら、このエピソードを語ろう」と、一生懸命に考えてきたところに想定した質問がきたので、「そら来たぞ!」とばかりに勢い込んで話しはじめてしまうわけです。
　質問が理解できたからといって、面接官の話をさえぎって話しはじめるのは、論外です。どんな内容でも、**質問は最後**

まできちんと聞かなければなりません。

　質問を聞いたあと、「1、2」と数えてから答えるくらいでちょうどいいです。そしてそのあとに**「ハイッ」と明るく答えます。**このハイは、「承知しました！」のハイであると同時に、面接官の質問を「きちんと理解しました」のハイでもあります。

　しっかり間をとって、そのあと「ハイッ」と元気に答えることで、自分のリズムをつくることもできます。

　逆に、良くないのが「エ〜」という口癖です。間ができることを嫌う人は、よくこの「エ〜」を多用するものですが、聞いているほう（面接官）にしてみれば、間をしっかりとっていない話は、内容を聞きとりにくいものです。

　くれぐれも、相手の話に被せたり、「エ〜」を多用したりしないように注意しましょう。

POINT

１ 話すよりも、「聞くこと」が大事。

２ 質問は最後まできちんと聞こう。

３ 間を取って、「ハイッ」と返事してから答えよう。

CHAPTER 5 | 03

自己PRは
「自分のキーワード」がカギ

📖 13の質問に答えて面接用のネタを準備

　本書では、6か月間で公務員試験に合格するスケジュール
を念頭に置いています。すると、どうしても筆記試験ばかり
に意識が集中しがちです。ほとんどの試験で最初に行われる
のが筆記試験なので仕方がない部分もありますが、筆記試験
の勉強開始と同時に**面接の準備**を進めることも必要です。

　面接におけるメインディッシュは、「自己PR」です。その
ためこれについては、面接の準備開始時点から面接試験の前
日まで**じっくりと時間をかけて準備**しましょう。

　そのためにもまずは、自己分析を行います。自分のことを
正しく分析するための質問項目を179ページに挙げましたの
で、その答え・考えをサクセス・ノート 作文・小論文・面接
編を用意して書いていきましょう。

　これらの質問について自分なりに答えを見つけたら、次に、
周りの人にそれを見せて感想を聞いてみてください。親、兄
弟、友だち、学校の先生など、できるだけ立場の違う人にた
くさん聞くことがポイントです。

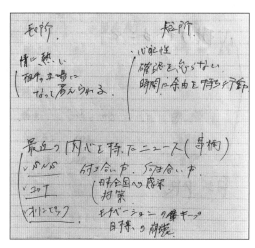

シグマの合格者の「サクセス・ノート 作文・小論文・面接編」に書かれた内容。思ったこと、感じたこと、学んだことなどをどんどん書き込んでいく

このとき、「できるだけ長所を指摘してほしい」とお願いしておくといいでしょう。自分の欠点（問題点）を指摘してもらって今後の人生に役立てることが目的ではありません。あくまでも、自己PR用のネタ集めなのです。

📖 自分をひと言で表現すると？

情報がある程度集まったら、**1分で話せる自己PR文を作成**します。自己PRの時間は、30秒・1分・2分など試験によって異なりますが、1分をベースにしておけば応用がききます。アナウンサーが1分間にニュースを読む分量が300字程度ですから、原稿を300字以内にまとめて、声に出して練習しましょう。

この作業では「**自分のキーワード**」を見つけることが大切

です。面接を受けに来る人なら誰でも、ある程度準備をして
くるもので、ほとんどの人が30秒とか、1分という時間をう
まく使って自己PRします。

　そのなかで差別化を図るために、1つでいいので**「自分は
こういう人間だ」ということを相手に伝える**ようにしましょ
う。残りの数十秒は、すべて補足情報だと思ってください。
キーワードが「真面目さ」なら、それを裏づけるエピソード
を語り、「責任感」ならそれに関連した実体験を紹介します。

　受験生のなかには、短い時間で「あれも、これも」とPRす
る人がいます。それを見ると心配になるかもしれませんが、
いろんなことをPRするのは、焦点がぼやけて印象に残りに
くく、「面接慣れしている」とマイナスの印象を与える危険性
すらあります。
「自分のキーワード」という1つのメッセージで勝負すれば
大丈夫です。

　シグマの卒業生に、東京消防庁を7回受験してついに合格
した生徒がいます。この生徒の場合は、「熱意」こそが最大の
PRポイントでした。
　面接の途中で「自分は東京消防庁を受けるのは7回目です」
と伝えたら、面接官たちがあわてて実績を調べて、「本当に7
回受けているんだね」と驚いたそうです。同じところを7回
受けるというのは特殊な例かもしれませんが、「それだけ思い
が強い」という1つのメッセージ＝熱意が最終的に面接官の
心を動かしたわけです。

合格する「自己分析」のための13の質問

①なぜ、公務員になりたいのか。

②志望動機は何か。なぜそこに入りたいのか。

③自分のどんなところが公務員に向いているのか。

④公務員になってから、どんな仕事がしたいのか。

⑤どんな公務員になりたいのか。

⑥学生のときに何をやってきたか。そこで何を学んだか。
（部活やサークル、アルバイトやボランティア活動など）

⑦趣味や特技は何か。持っている資格は何か。

⑧感銘を受けた本は何か。

⑨長所・短所は何か。
それを示す具体的な
エピソードは何か。

⑩尊敬する人は誰か。

⑪今、もっとも
関心があることは何か。

⑫これまでの人生で
一番印象深い体験は何か。

⑬「絶対これだけは
人に負けない」という
ものは何か。

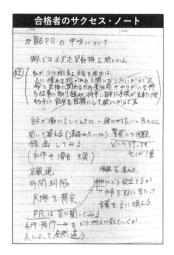

合格者のサクセス・ノート

自分に問いかけて
答えや考えをノートに書き出し、
自己PRの材料にしましょう

📖 ポジティブにつなげる短所の伝え方

　最後に、面接で自己PRとは逆に短所を聞かれたときは、できるだけ目立たない、無難な答えに終始しましょう。短所と長所はコインの裏表の関係にあります。**短所を話すフリをして、長所を話すくらいの気持ちでちょうどいいのです。**

　たとえば、どんなことにも一生懸命取り組むというのが長所なら、短所を聞かれたときは「熱中しすぎることです」と答えるのが良いです。几帳面な性格で、仕事の正確さがウリの人なら、「自分の仕事に厳しすぎること」が短所となるでしょう。このように「〜しすぎる」ということがポイントです。面接官も「マニュアル通りの答えだな」と感じるかもしれませんが、何も短所で目立つ必要はありません。煎じ詰めれば、面接のすべてが「自己PRの場」なのです。

　ただし、面接官としては、長所よりもむしろ短所についての話を聞いてみたい傾向にあるようです。ですから**短所についても改善策はもちろん、具体的なエピソードをしっかり用意**しておきましょう。

POINT

1 　**面接のメインディッシュは自己PR。**

2 　**「自分のキーワード」を１つ決めて相手に伝えよう。**

3 　**短所を伝えるときは、長所にからめよう。**

公務員試験で独特の「2大質問」に備える

合格に向けて避けて通れない2つの質問

　公務員試験の面接を受けるとき、絶対に想定しておかなければならない質問が2つあります。

①なぜ、公務員を目指すのか。
②なぜ、ウチ（志望先）に入りたいのか。

　いわゆる志望動機ですが、この2つは区別して返答を考えておく必要があります。①については「公務員になろうと思ったきっかけ」、②については「公務員になってやりたいこと」と考えるとわかりやすいでしょう。

　①には、「民間企業ではなく……」という前提が隠されています。そのため、「世のため、人のためになりたい」という答えに落ち着くのが一般的です。企業として利益を追求するのではなく、全体の奉仕者として利益を度外視したところで人々の役に立ちたい、というのが模範解答になります。

📖 志望動機に具体的なエピソードを添える

　しかし、そのような答えでは、面接官は納得しません。誰でもいえる話だからです。

　やはり「なぜ、そう思うようになったのか」という**個人的なエピソードが欠かせません**。たとえば次のようなエピソードです。これは合格者が面接練習の際に話していたものです。

> 　私が公務員を目指すようになったきっかけは、祖母の介護を手伝うようになったことです。
>
> 　祖母は車いすで生活していて、自宅から5分の場所にあるスーパーマーケットへ行くにも、いくつもの段差を越えなければなりません。その結果、自分1人では買い物へ行くことができなくなってしまいました。
>
> 　同じように困っている人はたくさんいるはずです。それを改善できるのは公共の機関しかありません。
>
> 　そのような理由で、民間企業ではなく、公務員として社会に貢献したいと思うようになりました。

　このように具体的なエピソードを添えると印象が違ってきます。

　つまり、「なぜ、公務員を目指すのか」という質問については、**「エピソード＋志望動機」という形が基本**となります。そのためにも、常にエピソードを集めて、サクセス・ノート 作文・小論文・面接編に書き込んでおきましょう。

📖 入職してやりたいことを具体的に伝える

　志望動機の「きっかけ」（①）に対して、もう１つの「やりたいこと」（②）への返答は、たとえば次のようなものです。こちらも合格者のエピソードから紹介します。

　私は地元の商店街が衰退していくのを食い止めたいと思い志望しました。

　通学途中の商店街では年々店をたたむ商店が増えてきています。それぞれの商店はがんばっていますが、商店街全体や街全体として大きな取り組みをしなければ、抜本的な改善をすることができません。

　だからこそ、地元の○○市役所に入って、重点プロジェクトの１つである「中心市街地活性化プロジェクト」に参加して、みんなが団結する体制づくりのお手伝いをしたいと考えます。

　「なぜ、ウチに入りたいのか」という質問に対しては、このようなアプローチが求められます。「地元の商店街を活性化したい」の例にもあるように、**自治体を受ける場合、「地元だから」がもっともオーソドックスな理由**となります。

　もちろん、地元だから合格しやすいということはありません。しかし、自分が生まれ育った地元の人々のために働きたいという気持ちは、少なくともその地域を選んだ理由としては筋が通ります。

　それに加えて、この合格者の場合は「重点プロジェクトの

１つである『中心市街地活性化プロジェクト』に参加して、みんなが団結する体制づくりのお手伝いをしたい」と、やりたいことが明確になっていて説得力があります。

📖 地元以外の自治体を受験するときの志望動機

　志望先が地元であれば、先の返答で問題ありません。では、地元以外の自治体を受験する場合にはどうしたらいいのでしょうか。面接官が質問する心のなかには、「別にウチでなくてもいいのでは？」という思いが隠されています。そのため**「その地域でなければならない理由」**を答えなければなりません。

　地元でなくても明確な志望動機があれば、それを答えるのでOKです。でもそうでない場合は、まず自治体のホームページなどで、**受験先の自治体が重点的に取り組んでいることを調べましょう。**それが自分のやりたいこととリンクすれば、立派な志望動機になります。

　最近では、動画を使って自治体の魅力をアピールしているところも多くみられます。シグマの生徒のなかにも、そうした動画内の職員の言葉を引用して、「動画に登場する職員の○○という言葉に魅かれたことがきっかけです」などと志望動機につなげた人もいます。

　また、自治体のホームページには、首長のメッセージも載っています。そこから、「自分の胸を打つ言葉はないか」「首長の語るビジョンに共感できる部分はないか」を読み取るのも良いです。この場合、首長の名前も覚えておきましょう。

志望先の数字を調べて地元と比較

　市区町村のデータをチェックすることもオススメです。人口や面積などから、受験先の自治体が抱えている問題を確認するのです。消防であれば火災発生件数や消防署の数をチェックし、警察であれば前年の犯罪件数、交通事故件数などをおさえておきましょう。

　受験先のデータを調べ終えたら、**地元のデータと比較して、違いをはっきりさせます。**受験先のほうが、人口が多い、火災の発生件数が少ないなどです。そして**地元との違いをキーワードにして、志望動機につなげていきます。**

　たとえば、地元に比べて人口が多いので、それだけ多くの人のためになりたい。地元から○○市へ出勤や買い物へ行く人も多く、この地域全体のリーダー的存在である○○市の活性化に力を尽くしたい。

　反対に、人口が少ないならば、地域の人たちと密なコミュニケーションをとりながら、それぞれの悩みに向き合っていきたい、と話すのも良いでしょう。

　少々こじつけのように思われるかもしれません。

　でも元々、**公務員試験は「必要な準備をきちんと整えている」という部分を評価してくれる**ものです。「志望する自治体のことを調べて、自分なりの動機を用意した」という熱意を持って、面接に臨むことが重要なのです。

📖 自分の熱意を伝えるのも方法の1つ

　ところで、消防士を志望する場合には、試験日が重ならない限りは、県内のあらゆる自治体の消防を受けるケースが多いです。自治体の消防士の採用枠がどこも少なく、どうしても数か所の自治体の消防を受験することになるのです。

　その場合に、「私はどうしても消防士になりたくて、○○市と△△市と××市を受験しました。場所はどこであれ、採用してもらえるところで自分の一生をかけて働いて、地域住民の安全を守ります」と、熱い思いをぶつけるという志望動機もあります。

　必ず成功する保証はありません。でも、受験者の熱意を評価してくれるところはたしかにありますから、「自分は熱意を伝えたい」と思う人は、この方法でトライしてみるのも良いかもしれません。実際にこのやり方で、県内どころか県外の消防からも数か所の合格をもらった人もたくさんいます。

　ちなみに、消防や警察の受験で志望動機を聞かれた場合、「子どもの頃からの夢でした」という答えは、リスクがあるので避けたほうがいいでしょう。

　そういう答えを好む面接官もいるかもしれませんが、「そんなに甘いものじゃない」と反感を持つ面接官がいるのも事実だからです。反感を買うまでではないとしても、「消防（あるいは警察）の仕事は泥臭いし、汚いし、そんなにカッコイイ仕事じゃないけど、それでも大丈夫なのかな？」と突っ込まれるのは間違いありません。

　ですからやはり、**個人的なエピソードをベースに、試験官が納得できる動機を考えておくべきでしょう**。個人的な部分を説明のなかに出すことで、リアリティが生まれて聞き手（面接官）も話に引き込まれていきます。

　真に面接官の胸を打つのは、あなた自身の物語なのです。

　最後に、実際に面接のなかで「志望動機は？」と聞かれた際は、「私の志望動機は、〜です」と、まずビシッと結論を話して、そこから説明をはじめてください。

　そうすることで、面接官も話がどこに向かっているかがわかるため、話の内容を理解しやすくなります。

POINT

|1| **公務員を目指す理由、志望先でないといけない理由は、必ず聞かれる。**

|2| **具体的なエピソードを添えることが大事。**

|3| **入職して自分がやりたいことを明確に伝えよう。**

|4| **ホームページなどから志望先の取り組みなどを知ろう。**

|5| **志望先と地元を数字で比較して志望動機につなげるのも OK。**

必ず合格する
面接カードの書き方

CHAPTER 5 05

📖 短所は改善策やエピソードを交えて書く

　面接を受ける場合には、事前に「面接カード」を書いて提出します。これは、**短時間で効率よく面接を行うためのツール**で、面接は、面接カードを見ながらその内容を踏まえて行われます。

　通常は一次試験の合格通知に同封されてきて、家で書いて郵送したり、面接試験の会場に持って行って提出したりします。記入すべき項目はおおむね以下の通りです。

氏名、出身校、志望動機、部活・サークル、趣味・特技、長所と短所、自己PR、免許・資格、併願状況……など。

　これらの項目については、これまでに解説した「自分のキーワード」や「2大質問への答え」が用意できていれば必ず書けますから、心配しないでください。

　なお、「長所と短所」については、面接官としては長所よりも、むしろ**短所について詳しく話を聞きたがる**ものです。自治体によっては長所を記入する欄がなくて、記入するのは短

所だけというところもあるくらいです。本番の面接を想定して、改善策やエピソード（失敗談と学んだこと）をしっかりと用意しておきましょう。

　また、「併願状況」については、正直に併願先を記載します。面接時に併願先を聞かれて、「ここ一本です！」と大見得を切る人がいますが、そのような気合だけの回答では、「リスクヘッジをしていないな」と思われてしまうのが関の山です。

📖 面接カードは「第0印象」

　面接カードは、面接官がわかりやすいように、**丁寧に書く**ことが一番大切です。

　面接官は提出された面接カードのコピーをとって、手元に置いて面接を行います。そのため字の大きさや濃さなど、面接官が読みやすいことを念頭に置いて書かなければなりません。面接官だって人間です。何十人も面接をするのですから、汚い面接カードなど読みたくありません。

　面接において、第一印象が大事なことは良く知られています。その点でいうと面接カードは、**面接以前の「第0印象」**なのです。汚い面接カードで、入室前から悪い印象を与えないように注意しましょう。**面接カードも外見重視**なのです。

　また、「面接カード」に書いた内容と、面接での返答に食い違いが生じないように、記入事項をしっかりと覚えておくことも重要です。事前に送られてくるパターンならば、絶対にコピーをとって、面接がはじまる直前まで書いた内容を確認してください。

面接官が質問したくなるような内容を書く

記入に関する注意点としては、**与えられた空欄の大きさに見合ったボリュームで書く**ことが大切です。

そのためシグマでは、必ず生徒に提出用紙を複数枚コピーしてもらっています。提出用紙そのままの書式に、清書するつもりで下書きしてもらうのです。

小さな欄ならひと言ふた言で終えますが、**ある程度の大きさがある場合には、適度に詳しく書きましょう**。記入欄が大きいということは、相手が特に知りたい項目なわけです。興味を持ってもらえるように具体的なエピソードを交えて、面接官ができるだけ**質問したくなるような内容を書く**ことを心がけてください。

実際のエピソード、趣味、特技、最近読んだ本などに関して、面接官と共通の話題ができればかなりラッキーです。

共通の話題があれば、初対面の人ともあっという間に親しくなることができるからです。なかには高校時代の部活動の話題で盛り上がって、それだけで面接が終わった合格者もいます。話が盛り上がれば、それだけ親近感がわき、「一緒に働きたい」という気持ちも芽生えるに違いありません。

ただし、面接官は、自分よりも年配の方が多いものです。軽い人だと思われないように、「趣味」の欄には、マンガやゲーム、ネットサーフィンを書くのはNGです。

📖 書いたら2、3日寝かせておく

でき上がった面接カードは、たとえどんなに良くできていても、2、3日寝かせておきます。でき上がった書類をしばらく寝かせておくと、ある日突然、いいアイデアが降ってくるからです。そして、アイデアが降ってきたら、それを加味して仕上げます。

これはシグマでも実践していることで、面接カードを記入する際は、「眠って起きると降ってくる」「行きづまったら眠るに限る」を合言葉に書いてもらっています。

面接カードは、提出期限が許す限り寝かせておいて、より良いものに仕上げましょう。ぜひ試してみてください。

POINT

1 面接カードは
短時間で効率よく面接を行うためのツール。

2 丁寧に書くことが一番大切。

3 書いたことは、しっかりと覚えておこう。

4 空欄の大きさにあわせて、
面接官が質問したくなるような内容を書こう。

5 書いて2、3日寝かせておくと
いいアイデアが降ってくる。

相手に好感を持たれる 話し方とは？

📖 ゆっくりと話すことを意識

　面接が上手な人は、面接試験の日程が確定すると、その日から本番前日まで、毎日２時間以上練習しています。そこまでは難しいかもしれませんが、自己PR文などを完成させたら、**自然な形で話せるようになるまで練習**しましょう。

　練習では、必ず**時間を計ってください**。決められた時間内に話すことも大切ですし、時間を計ることで自分なりの話すペースを身につけられるからです。

　ちなみに、たいていの人は話すスピードが速すぎます。練習の時点で速いと、本番ではもっと早口になる可能性が大です。早口では、自分の考えなどがきちんと相手に伝わりにくいですから、**特にゆっくり話すように意識**しましょう。

　ゆっくり、はっきり話すスキルを身につけておけば、そのほかの質問に答えるときにも役に立ちます。

　話し方のスキルとしては、**声の大きさに強弱をつける**のも効果的です。特に面接官に対してアピールしたいところは、大きくはっきりと声に出してみましょう。話し方にメリハリ

をつけるということです。その際、身振り手振りが出ても大丈夫ですが、多すぎないようには注意しましょう。

📖 笑顔と相手の目を見ることも大事な要素

　話している際に**笑顔を交える**ことも大事です。笑顔は、相手に対して「受け入れていますよ」というサインでもあり、仏頂面では面接官を不快にさせてしまうかもしれません。

　ただし、笑顔が大事だからといって、笑うべきところでないのに笑ったり、圧迫気味の質問に対して満面の笑顔を浮かべていたりしたら、「ん？　ちょっとおかしいんじゃないの？」と思われる可能性があります。注意しましょう。

　笑顔と同じく、相手を受け入れているサインとなるのが、**相手の目を見る**ことです。面接では、質問者と目を合わせて話をしたり、聞いたりする必要がありますが、日本人は他人と目を合わせるのが苦手なものです。ジッと見つめすぎるとにらんでいると思われるかもしれませんし、逆に目を逸らそうものなら「目が泳いだ」「落ち着きがない」などとマイナスに取られる可能性もあります。

　面接官と上手く目を合わせることができると、目と目の間にスッと1本の線がつながるような感じになります。その感覚を練習で磨き、面接に臨んでほしいと思います。

📖 適度な声の大きさも合格に不可欠

　最後に、警察官になった生徒の面接に関するオモシロ勉強

法を紹介します。

　自分の声が小さいことに悩んでいた彼は、毎晩、家の近所の田んぼに行って2週間、大声を出して面接練習を続けました。すると、本番に間に合って大きな声を出せるようになったのです。声が小さいことで悩んでいる人は、彼のように大声が出せる場所で練習してみることをオススメします。

　面接官の位置から自分の座っているところまで、思いのほか距離があり、そのなかで自分の声をしっかり届かせる必要があります。どのくらい大きな声を出せば、どのあたりまで自分の声が届くのか、周りの人に頼んで試してみましょう。

　ただし、身振り手振りや笑顔と同じく、**声の大きさに関してもバランスが大事**です。入室時からずっと声を張り上げて答えていたところ、面接官に「大声は出さなくていいから普通に話してください」と注意された生徒がいました。

　行きすぎはマイナスになります。何ごとも中庸を心がけましょう。

POINT

1 自己PR文などを自然な形で話せるように練習しよう。

2 練習のときは時間を計り、ゆっくり話すことを意識。

3 声の大きさと強弱・笑顔・相手の目を見ることも
大事なポイント。

CHAPTER **5** 07

面接試験の必勝パターンは「外見重視」

📖 公務員試験では「個性」は評価されにくい

面接における基本中の基本として、**身だしなみには細心の注意を払いましょう**。民間企業に比べて、公務員の場合は**外見が特に重視される**と思ってください。

民間企業では多少変わった外見でも、その人の個性として評価される場合もあります。IT企業など、リクルートスーツを禁止して、就職希望者に普段着で来るように通達する企業もあるほどです。

しかし、公務員の世界は違います。外見的な要素では、**目立たなければ目立たないほどいい**と思ってください。奇抜なファッションや特異性は逆効果です。ほかの人と違うこと、奇抜であることは、公務員試験において重要ではありません。

明るいあいさつや、さわやかな笑顔など「一緒に働きたい」と思わせる、人柄を表す部分では大いに目立ってほしいと思います。でも、**服装や髪型、持ち物は普通が一番**なのです。ポイントを197ページにまとめましたのでご覧ください。

📖 教科書通りの面接対策で合格点をゲット

　立ち居振る舞いに関しても外見重視で、**きびきびとして、礼儀正しい**ことが基本です。

　入室したら、ドア付近でのお辞儀と着席する前のお辞儀を忘れないようにしましょう。イスの横に立ったら、自分から受験番号と名前をはっきりといってください。「本日は面接をよろしくお願いします」のひと言もつけ加えましょう。

　手は指先までピシッと伸ばして、かかとはキチンとつけてください。その後、**着席をすすめられてから、イスに座る**のも面接における常識です。

　言葉遣いは、過度に敬語を意識するとヘンテコな言葉になりがちですから、**適度な丁寧語を意識**しましょう。友人の親や学校の校長先生と話すくらいのイメージで良いです。

　要は、まさに教科書通りの面接対策をしていれば良いわけです。難しいことは何もありません。だからこそ、基本部分で大きなミスをすると致命傷になりかねないのです。

　面接の段階で、ほとんど合否が決定してしまうといっても過言ではありません。ですから、親、同僚、先輩、学校の先生、友人などに協力してもらって、繰り返し練習をしましょう。面接上手は、ものすごい量の練習をしているのです。

📖 受験生は控え室でも見られている

　また、詳しくは次のセクションで解説しますが、**面接は控え室からはじまっています。**注意しましょう。

面接での大事な「外見」ポイント

- 髪は清潔感があるようにし、寝ぐせもないようにする。
- ヒゲは絶対NG。
- 紺や黒などのオーソドックスなリクルートスーツを着る。
- 靴が汚れていないかにも注意。
- 高校生は制服が基本。
- ピアスやネックレス、指輪などのアクセサリー類は、すべて外す。

> 面接本番に靴の汚れを
> 注意された生徒がいました。
> また、着崩れた感じが出ないように
> クリーニングに出しておきましょう

　たとえば、シグマの生徒が、控え室で椅子を並べて寝ている受験生を見たことがあるそうです。もちろん合格者のなかに、その受験生の姿はありませんでした。また、シグマで採用説明会を開催してくれた採用担当者の方からは、「待ち時間の間に勝手に外に出て、隣のコンビニで雑誌を立ち読みしているところを見つかって不合格になった受験生がいる」という話を聞いたこともあります。

　一方、シグマの生徒に、試験会場に向かう途中の駅の売店で朝刊を買って行った人がいました。面接では、「今朝の新聞で気になるニュースを1つあげてください」「今朝の新聞で関心を持った海外のニュースを1つあげてください」などと質問されることがありますから、面接などの待ち時間に新聞を

読むわけです。とてもいい待ち時間の使い方ですね。

自分を動画で見るといろいろな発見がある

最後にアドバイスをもう1つ。世阿弥の能楽論に「離見の見」というものがあります。観客の立場になって、演じている自分を客観的に見ることの大切さを説いた言葉です。

これと同じで面接の練習に際しては、一度は**面接官の立場から自分を客観的に見ておく**ことをオススメします。

幾度となく面接のアドバイスをしても、元気のない暗い表情と、蚊の鳴くような小さな声の生徒がシグマにいました。そこで、撮影した動画を見せたところ、「自分はこんなに暗いんだ！」と驚いて、見違えるように上手くなりました。

他人のことはよく見えるものですが、自分のこととなるとさっぱりわからないものです。ぜひ一度、面接練習をしている姿を動画に撮って、客観的に自分を見つめてみましょう。

POINT

1 公務員試験において、外見的な要素では目立たなければ目立たないほどいい。

2 教科書通りの対策をすれば**OK**。

3 練習時に自分の姿を動画に撮って見てみよう。

CHAPTER
5 08

見過ごしがちな
面接試験での重要ポイント

📖 注意書きや連絡事項をしっかりとチェック

　面接試験では、控え室から面接がはじまっています。当日に配られる（または事前に郵送された）**プリントや控え室の壁に貼られた注意書き、連絡事項はしっかり読みましょう。**

　プリントにトイレの場所が書いてあるのに、係の人に「トイレはどこですか？」と聞くのはマイナスです。また、「面接会場への入室時にノックは不要」という注意書きがある場合もあります。「注意書きにあっても、ノックくらいしてもいいじゃないか」と思うかもしれませんが、**きちんと注意書きを確認しているかどうかがチェック**されているのです。

　集団討論の試験では、討論の課題が書かれた用紙が机の上に伏せて置いてあることがあります。そして部屋の正面のホワイトボードには、机の上の用紙をめくらないようにとしっかり書かれているのに、これをめくってしまう人がいます。また、たいていの試験で「用紙は持ち帰らないように」と書かれていますが、これを持ち帰ってしまう人もいます。

　いずれも大幅な減点です。気をつけましょう。ちなみに、

用紙を持ち帰ってしまったら、気づいた時点ですぐに採用係に電話して誤って持ち帰ってしまった旨を報告しましょう。シグマには、そのように対応して合格した生徒がいます。公務員には、**失敗したときのリカバリー力が求められる**のです。

📖 会場に入ってから家に帰るまで気を抜かない

注意ポイントがたくさんあると、面接時に硬くなってしまうものです。そうならないためにも、サクセス・ノート 作文・小論文・面接編にチェックポイントの一覧表をつくっておき、控え室で確認しましょう。そうすれば気持ちが落ち着きます。

繰り返しになりますが、**面接でもっとも大切なのは「この人と一緒に働きたい」と相手に思ってもらう**ことです。そしてそれは面接だけに限らず、控え室など面接室以外の場所での振る舞いも好意的に見られる必要があります。

実際に、市役所に合格したシグマの生徒は、試験会場のビルに入った瞬間から、出会う人すべてに大きな声であいさつしたそうです。見習いたいですね。

また、合格者の体験談のなかには、雑談を交わしながら控え室まで案内してくれた係員の方が、そのまま面接会場の部屋に入室して面接官になったということがありました。どこからが試験なのか、まったくわからなかったそうです。

これに限らず、面接会場の受付をしていた人が、面接官になったケースもあります。ですから**試験当日は、会場に入った瞬間から、家に帰るまでは気を抜かない**ことです。

📖 面接官に自分から好意を持つ

面接官に対しても、「敵ではなく味方だ」という意識を自分から持つようにしましょう。「共感してもらうこと」と「共感すること」は、コインの裏表のようなものです。**相手に好かれたいと思ったら、まずは相手を好きになる**ことからはじめましょう。面接官を気に入れば、自然に相手もあなたを気に入ってくれるはずです。

圧迫面接などもあり、ときには腹が立ったり、気分が落ち込んでしまったりすることもあると思います。しかし、基本的に面接官は、受験者と一緒に働きたいと思っていて、面接官は、そのために必要な手続きを踏んでいるだけなのです。

ちなみに圧迫面接では、話の内容以前に、そうした場面でのたたずまいを見られているものです。少々圧迫されたくらいで、うろたえているようでは仕事にならないからです。

「印象７分に中身３分」です。そう思い直して、自然な笑顔を取り戻しましょう。

POINT

1 配布される注意書きや連絡事項などをしっかり確認しよう。

2 試験会場に入った瞬間から家に帰るまで気を抜かない。

3 面接官は、敵ではなく味方。

おさえておきたい
集団討論の攻略法

📖 集団討論で大事なのは協調性

　ここでは、事務系の試験でも公安系の試験でも行われる集団討論でのポイントを解説していきます。

　まずは**協調性**です。積極性も大切ですが、集団討論では、「どれだけ相手を論破できるか」「どのくらいディベートに慣れているか」をチェックしているわけではありません。公務員の仕事はチームで動きますから、**討論を通じて、ほかの人と協力して1つのことを成し遂げられるか**が見たいのです。

　司会役のメンバーが参加者に順番に発言させるケースがあります。一見すると平等な差配にも見えますが、実際は各メンバーがバラバラの意見を順番に述べていくだけで、結局、グループの意見がまとまらないことになりがちです。

　じつは、採用担当者の方が集団討論において、「これだけはやめてね！」と釘を刺すのがこの行為なのです。

　与えられた課題について、メンバーみんなで前向きに議論する必要があるのに、順番にグルグル意見を述べているだけでは議論になりません。もちろん、ほかのメンバーの意見を否定するだけの議論の破壊者であるのもNGですし、とりわ

け一番良くないのが、すました顔でメモを取っていて一度も口を開かないことです。たとえ真面目な態度で臨んでいても、面接官の目には「やる気がない」と映ってしまいます。

集団討論は、メモを取る時間ではなく討論の時間です。集団討論でも人柄が見られていることを忘れないようにし、**常に臨戦態勢でいて、建設的な意見を述べる**ようにしましょう。

テーマによっては、時事問題や一般知識を知らなければ、討論に参加できないものもあります。そのため、**新聞や本を読んで、普段から知識をインプットしておく**ことも大事です。

シグマでは、面接や集団討論の練習の場が自然に情報交換をする場になります。さらに、自分の気になった新聞記事を写メに撮って、仲間とSNSで共有していた生徒もいます。知識をインプットしたら、家族や友人に説明してみましょう。アウトプットすることも大切なのです。

📖 みんなが「ファシリテーター」になる

集団討論を象徴する言葉として私がぴったりだと思うのは、「ファシリテーター」です。ひと言でいうと「議論の進行人」で、心構えとしては「共に助け合うこと」になります。

集団討論の場においてファシリテーターは、**メンバー同士のコミュニケーションが円滑に進むように世話をして、全員のコンセンサスを得られるように取りまとめていきます**。司会役だけでなく、メンバー全員がファシリテーターとしての自覚を持ったとき、集団討論は盛り上がります。

「集団討論では、ファシリテーターになる」。この言葉を覚えておいてください。

📖 面接官が公務員であることを忘れない

もう1つ基本的なこととして、**面接官も公務員**だということを忘れないようにしてください。

時事問題に関する話題になったときなど、世間の論調として公務員を批判するような話もあるわけです。しかし、その意見に同調して、一緒になって公務員批判をするのはどうかと思います。本人としては問題提起をしているつもりかもしれませんが、相手に不快な思いをさせてしまったら、そのあとの話が良い方向に転がっていくことは難しいでしょう。

視点を切り替えて、面接官の立場になって考えることも大事なことなのです。

最後に、拙著『9割受かる鈴木俊士の公務員試験「面接」の完全攻略法』(KADOKAWA)では、面接の必勝法について、解説しています。参考にしてみてください。

POINT

1 集団討論では協調性が大事。

2 常に臨戦態勢でいて、建設的な意見を述べよう。

3 面接の場が公務員試験であることを忘れない。

CHAPTER 6

合格を
より確実にする
マル秘テクニック

本書の最後に、公務員試験の勉強法に関する「マル秘テクニック」を紹介します。どんなに素晴らしいノウハウでも、実践することができなければ、合格を手にすることはできません。しっかり読んで、これまでに紹介した合格ノウハウを確実に実践できるようになりましょう。

CHAPTER 6 01

勉強は「3日坊主」でも かまわない

📖 人生に挫折はつきもの

　これまでに、公務員試験全般の勉強法をたっぷりと解説してきました。それらをしっかりと実践すれば、合格が見えてきますが、決めたことを完璧にこなすのは、簡単ではありません。人生に挫折はつきものです。

　そこでこのCHAPTERでは、公務員試験（および、その準備）に**挫折しないためのテクニック**を紹介しますが、まずは**「3日坊主でもかまわない」というメンタリティ**です。

　「3日坊主ということは、もうすでに挫折しているじゃないか！」と思う人もいるかもしれません。でも私の考え方は少し違います。せっかく決めたことを3日でやめてしまったら、それは立派な3日坊主です。でも、もし次の日や来週からでも再開すれば、単なる3日坊主とは違うのです。

　決めたことを遂行できなかったからといって、人生は終わりません。公務員試験への道のりが閉ざされるわけでもありません。

　自分が逃げ出さない限り、公務員試験合格という目標は決して逃げてはいかないのです。

📖 歩みを止めない、あきらめないことが大事

　シグマの生徒にも、同じことを何度となく話します。
「3日坊主でもいい。また明日からはじめよう！」
　遊びの誘惑や睡魔との戦いに負けて勉強ができなかった日には、ぜひこの言葉を思い出してください。
　再開した勉強が、また3日坊主になってもかまいません。大事なのは、**完全に歩みを止めてしまわないこと**、**決してあきらめないこと**なのです。

　途中で休憩しながらでもかまいません。ぜひまた歩き出してください。自分で決めたスケジュールを寸分の狂いもなく遂行できる人など、そう多くはないものです。
　たいていの人は「止まってはまた歩き出す」を繰り返しています。決して完璧を目指さないで、「立ち止まっても、また歩き出した自分」を評価してあげてください。

POINT

| 1 | 公務員試験合格という目標から逃げ出さなければOK。 |

| 2 | 一度歩みを止めても、また歩き出せばいい。 |

CHAPTER 6 | 02

人生にも 「ポアソン分布」がある

📖 誰しも調子のいいときばかりではない

　公務員試験の合格に向けた6か月という短い期間において
も、調子のいい時期もあれば、悪い時期もあります。

　学力が順調に伸びる時期、思うように成績が上がらない時
期、無理なく勉強に取り組める時期、「勉強したい」という気
持ちはあるのになかなか手をつけられない時期など、さまざ
まな時期をくぐり抜けていかなければなりません。

　そして不調な時期にいると、「自分はこのまま失敗してしま
うんじゃないか……」「公務員試験に合格することなど不可能
なんだ……」という気持ちになってしまいがちです。

　でもそれは違います。そのときに、たまたま悪い波が押し
寄せているだけです。**いい時期も悪い時期も永遠に続くこと
などあり得ません。**多少長めのスランプに陥っても、その期
間には必ず終わりがくるのです。

　フランスの数学者にシメオン・ドニ・ポアソンという人が
います。統計学の世界で有名な「ポアソン分布」を提唱した

人です。

　ポアソン分布とは、簡単にいうと「本来は均等のものでも、一時的な偏りが生じる」というものです。一例をあげると、サイコロの目が出る確率はどれも同じです。でも実際には、同じ目が続けて出ることがあります。

　また、０〜９までの数字がランダムに並んだ乱数表においても、ある数字が頻繁に登場したり、同じ数字が続いていたりすることがあります。

　人生にも、ポアソン分布が存在します。不幸なことが立て続けに起こって「なんてひどい人生なんだ」と嘆きたくなる時期もあれば、ラッキーなことが続いて、「私の人生はバラ色だ！」と感じることもあります。しかし、長期的に見れば、不幸なことも幸運なことも、同じ頻度で起こっているものなのです。

📖 ベーブ・ルースのスランプ脱出法

　野球選手のベーブ・ルースをご存知でしょうか。世界の野球史にさん然と輝く伝説のホームラン王です。彼は「スランプに陥ったとき、どうしますか？」とインタビューされたとき、次のように答えました。

「普段通りにグラウンドへ行って、スイングの練習を続けるよ」

　彼は、自分のスランプが永遠には続かないことを知っていました。真面目にバットを振り続ければ、いつかまた調子が

戻ってくることを理解していたのです。

　公務員試験の勉強も同じです。成績が上がらない時期、勉強が手につかない時期があれば、ものすごく順調に進む時期が必ずやってきます。そして、不調のときほど、親や友人が「最近、成績が上がらないけど、どうするの？」「今の志望先では無理なんじゃないの？」などといってくることが多いものです。

　そんなときは、涼しい顔でこういい返しましょう。
「普段通りに机に向かって、勉強を続けるだけだよ」
　正しく努力を続けていれば、いずれまた好調な時期は訪れます。立ち止まりさえしなければ、必ず成功を手にすることができるのです。

POINT

| **1** | いい時期も悪い時期も永遠に続くことはない。 |

| **2** | 正しく努力を続けていれば、
いずれまた好調な時期は訪れる。 |

ルーティンワークで
1日の助走をつける

📖 ルーティンワークでエンジンをかける

　勉強でも仕事でも、**着手すること**が最大の壁です。やってみれば簡単なのに、なかなか手をつけることができない状態です。その結果、時間が足りなくなって十分な準備ができないまま本番を迎えてしまいます。誰にでも似たような経験があるのではないでしょうか。

　受験に向けた日々の勉強も同じです。気分が乗っている日はいいのですが、あまり乗り気でない日は机に向かって勉強をはじめるまでに、ものすごく時間がかかってしまうものです。そのまま勉強せずに過ごしてしまう日もあるでしょう。

　そんな問題を少しでも回避するために、1日のスケジュールの組み方を工夫してみましょう。**本格的な勉強に入る前に、助走をつける**という作戦です。

📖 集中力を高めるイチローのルーティン

　ゴルフには「プレショット・ルーティン」という言葉があります。ショットする前に、いつも同じ動作をすることで、

常に安定したパフォーマンスをするためのものです。

　ゴルフに限らず、ほかのスポーツでも自分なりのルーティンを決めている選手は多く、たとえばアメリカのMLBで活躍したイチロー選手が、打席に入るときにいつも同じ動作をしていたことを知っている人は多いのではないでしょうか。打席に入ったあとに、左手で右肩の袖を軽く引っ張りながら、ピッチャーに向かってバットをまっすぐに立てる、などです。そうやって彼は集中力を高めていました。

　これと同じように、**１日の勉強をはじめるときの、自分なりのルーティンを決めておきましょう**。それにより、すんなりと勉強モードに入ることができます。

📖 受験情報を勉強前のルーティンでチェック

　一例を挙げると、勉強をはじめる時間がきたらとにかく机の前に座り、10分程度は受験に関する情報をチェックします。出願期限や受験内容などが、志望先の自治体から発表されているかを確認するのです。

　ルーティンの効果を最大限に引き出すには、あれこれ考えずロボットのように自動的に動くのが一番です。感情や思考などはまったく必要ありません。自治体のホームページは毎日見ているので、何も考えず反射的にできるはずです。これによって、自然に勉強モードのスイッチが入ります。

　そしてその先はスケジュール通りに、「政治・経済の暗記を３ページ」「数的推理の問題を10問」などの勉強に入って行きます。調子が良くても悪くても、多少体調が優れなくても、

「着手の壁」をルーティンで乗り越える

勉強する前に

モチベーションが上がらない……

- どうも気分が乗らない。
- やる気があるのに、なかなか机に座れない。
- 疲れている。
- 眠気に襲われる　……など。

この「着手の壁」を乗り越えるために……

勉強スタート時のルーティンを決めておこう！

勉強をはじめる時間がきたら、

とにかく机に座る。

 そのうえで……

- 10分程度、受験に関する情報をチェック。
- 昨日覚えた内容（暗記科目）のチェック。
- 訓練科目の得意なものから手をつける。
　　……など。

➡ロボットのように自動的に動けることに
取り組むことで自然と勉強モードに入れる！

> とにかく机に座って
> 簡単にできることから
> 行ってみましょう。
> それにより、やる気も出てきます

勉強をはじめてしまえば、やる気も出てくるものです。

　勉強前のルーティンは自分に合うやり方でかまいません。
昨日覚えた内容（暗記科目）のチェックをするとか、訓練科目のなかでも得意なものから手をつけるなど、自分なりにアレンジすると良いでしょう。

📖 着手すれば自然と勉強できるようになる

　極端にいえば、「今日は気が乗らないので、ルーティンだけやって寝てしまおう」という気持ちではじめてもかまいません。**少しずつでもいいので、とにかく毎日続ける**ことが大切なのです。

　気乗りしないときでも、ルーティンを終えたときには「もうちょっと勉強しておこうかな」という気持ちになっていることが多いものです。着手するのが最大の壁で、着手さえしてしまえば、そのあとはうまく流れていくものなのです。

　最初は無理矢理にでもルーティンをこなしていれば、いずれそれが習慣となり、大きな効果を発揮してくれます。**繰り返し成すことが、自分をつくる**のです。

POINT

1 　**1日の勉強をはじめるときの
　ルーティンを決めておこう。**

2 　**毎日続けることが大事。**

勉強をはじめる最初に 「合格」を紙に書く

合格するイメージを持つことが大事

シグマの開講日に、生徒たちに必ずやってもらう「とっておきのテクニック」を紹介します。開校以来26年間続けているそれは、「**あなたの決意**」を紙に書いてもらうことです。そしてその紙は、自宅の机の前に張っておくか、カバンのなかに入れて常に持ち歩くようにしてもらっています。

要は、**勉強をはじめる最初に合格するイメージを持つ**ということです。

ほかにも、裁判所と市役所に合格したシグマの生徒が、受験前に「合格しちゃいました」とプリントした紙でシールをつくり、サクセス・ノートに貼っていたこともあります。警察官や消防士志望の生徒は、顔だけを自分のものに差し替えた制服姿の警察官や消防士の写真を携帯していました。

こういったことを真面目に、しかも楽しんでやっている生徒たちは、ちょっとやそっとのことではへこたれません。**楽天的に考えることは、困難を乗り越える力になる**のです。

私が好きだったロックミュージシャンの故・忌野清志郎は、

高校時代、なりたい自分をマンガに描いていました。マンガのなかの自分たちは売れっ子のバンドで、ビートルズのようにレコード会社を設立して、好きなように音楽をやっています。それをラジオの深夜番組にも送りつけたそうです。

　ここからも、自分の目標を明確にすることの大事さがうかがえます。

📖 自分の心は、自分次第で変えられる

　誰にでも簡単にできて効果抜群なのに、その効果が甘く見られがちな受験テクニック。それが**目標を紙に書く**ことなのです。だまされたと思って、ぜひトライしてみてください。

　もし勉強に行きづまり、落ち込んだときは、なりたい自分をイメージしてください。将来、公務員となった自分を待っている仕事や、待っている人たちがいることを思い浮かべるのです。イメージできれば、あとはそれを目指して勉強するだけです。物ごとはすべて心がつくり出します。

　すべての基本は心です。心が整えば物ごとも整います。**自分の心は、自分次第で変えることができる**のです。

POINT

| **1** | 勉強をはじめる最初に合格するイメージを持とう。 |

| **2** | 落ち込んだときは、なりたい自分をイメージしよう。 |

CHAPTER
6 05

モチベーションが倍増する 仲間をつくろう

📖 どんな形でもいいから、「仲間」をつくる

　高校受験や大学受験に比べて、公務員試験を目指す受験生は、ある意味で**孤独になる可能性が高い**ものです。

　中学や高校にはクラスメイトがいて、その多くが同じ目標を持つ仲間であり、ライバルです。しかし、高校や大学に在学している人でも、周囲に公務員試験を目指している人は、あまりいないでしょう。多くてもクラスに数名です。社会人なら同じ境遇の人を探すのは、さらに困難になります。

　そんな状況であることを十分に理解したうえで、あえてお伝えします。1人でも2人でもいいから**同じ目標を持つ仲間を見つけて、その人と一緒にがんばる**ことをオススメします。

　実務面、精神面の双方において、仲間の存在はとてつもなく大きいものです。シグマに来ている生徒を見て、いつもそう思います。

　本来、勉強は1人でするものです。しかし、常に1人だとモチベーションを維持するのが相当難しく、どうしてもサボ

りがちになってしまいます。「自分のしていることが正しいのか」と不安になることもあるでしょう。

　そんなときに同じ境遇の人と話ができれば、精神的に救われます。また、自分１人では得ることのできなかった情報を入手する機会にもなります。

　学生時代の友人、職場の同僚、先輩、後輩など、公務員試験を目指す人がいたら、定期的に連絡を取り合って、できれば一緒に勉強する機会をつくってください。**いい意味のライバルができれば、お互いに切磋琢磨してレベルアップできる**はずです。

　人は、１人で考えつくことには限界があります。**他人からの刺激が大事**なのです。

📖 「人に教える」のは、最高の勉強法

　勉強は楽しみながら笑顔でできるのが一番です。たとえば暗記科目を勉強する場合、１人が問題を出して、もう１人が答えるというやり方をすると記憶に残りやすくなりますが、こうやって仲間と勉強すると楽しいものです。そのため、週に一度くらいは、図書館などに仲間で集まって集中的に勉強するのが良いと思います。

　また、**自分が得意な分野を相手に教えて、相手が得意な分野を教わるという勉強法も、とても効果的**です。

　教わる側ばかりが学んでいると思ったら大間違いです。むしろ、教える側に大きなメリットがあります。**人に教えるには、それだけ深い理解が求められる**からです。あいまいな部

分があると、教えている途中で自分が行きづまってしまうことでしょう。この経験ばかりは、1人の勉強では絶対に味わうことができません。

仲間と協力することでいろいろな見方ができる

作文・小論文や面接のネタをお互いにチェックし合うのも**効果的**です。エピソードやそれにまつわる情報について話をしたり、お互いが思う「相手の長所・短所」をいい合ったりして、自己PRや志望動機の材料をそろえていくのです。

そのほか、時事ネタについて意見交換するのも良いですし、地元のニュースや公務員の不祥事、警察や消防に関するニュースなどについても、あれやこれやと話し合ってみましょう。SNSで情報を共有し合うのもオススメです。

人は誰しも、**協力する力を持って生まれてきており、仲間と協力することで、いろいろな物の見方をすることができます**。そのためミスも少なくなるのです。

仲間と協力する気持ちがあれば、必ずうまくいきます。自分には協力する力があること、目標達成のためには、仲間と協力するのが必要なことを忘れないでください。

場所を変えるのも合格に有効な手段

最後に、**勉強する場所を変えてみる**のも効果的な方法の1つです。いつも自宅で勉強するのではなく、たまにはカフェへ行ってみたり、図書館に出かけてみたりしてみましょう。

図書館のようにみんなが静かに勉強している雰囲気が集中力を高めてくれることもあれば、カフェなどの雑然とした場で、かえって勉強が進むこともあります。

　受験勉強はつらく苦しいものだと思っている人も少なくなく、そういった側面があるのも事実です。しかし、**仲間をつくったり場所を変えたりするような、さまざまな工夫によって受験勉強を楽しくすることは十分に可能**です。

　どうせ勉強するなら楽しいほうがいいに決まっています。目の前の作業（勉強や仕事）をどうしたら楽しむことができるか、というスキルを身につけることは、公務員として実際に働きはじめたあとも大いに役立つはずです。

　公務員になってからも勉強することはたくさんあります。自分が想像していたよりも厳しい職務につくことだって考えられます。そんなときにも、つらいながらも楽しかった公務員試験の勉強という経験が、きっと大きな力となるに違いありません。

POINT

|1| **同じ目標を持つ仲間を見つけて一緒にがんばろう。**

|2| **お互いに教えあう、情報共有する、自己PRの材料を集める、のも効果的。**

|3| **勉強する場所を変えて気分転換しよう。**

おわりに

📖 成績が悪かったのは勉強法を知らなかったから

　本書を執筆している最中に、卒業生から電話がありました。

　警察官になった彼は、白バイの全国大会で優勝したといいます。「新聞にも載っているから見てほしい」というのでさっそく紙面を開いてみると、懐かしい顔がでかでかと掲載されていました。

　彼がはじめてシグマを訪れたときから比べると、見違えるほど立派な姿でした。

　高校時代、彼は不良少年で、暴走族にも入っていたそうです。シグマに入学願書を提出しに来たときも、髪は金髪で、バイク事故で骨折した足を引きずり、松葉杖なしでは歩けない状態でした。入校当初の彼の学力は、合格点からはほど遠いものでした。中学、高校とあまり勉強してこなかったのだから、それも無理はありません。

　ただし、彼は頭が悪かったわけでも、努力を怠るようなタイプでもありませんでした。

　たった１つ、**勉強法を知らなかった**のです。「勉強とはどの

ようにするものなのか」「どうしたら成績を上げられるのか」
が、まるでわかっていませんでした。

　私が彼に最初に教えたのは「勉強には復習というものがあ
る」という初歩的なもので、とにかく、授業を終えたら家で
復習をするように伝えました。すると彼は持ち前のがんばり
を発揮し、次の日からメキメキ成果を上げはじめたのです。
　成果が出てくると勉強がどんどん楽しくなり、「夢や希望は
本当に実現するんだ」という確かな手応えを感じるようにな
っていきました。
　そこからの成長はとても速く、その結果彼は、希望の試験
に合格し、立派な警察官として活躍するに至ったのです。

📖 学び方を知ることで、必ず夢は実現する

　彼に限らず、そんな生徒たちを私は何人も見てきました。
　彼らの多くは入校当初、すばらしい能力を持っていながら、
「どうやって勉強をするのか」「どうすれば楽しく学ぶことが
できるのか」という部分をほとんど知りません。
　私は26年以上にわたる長い校長生活のなかで、**「どうやっ
て学ぶのか」**というただ１点を、繰り返し伝えてきたのだと
思います。

　**学び方さえ知れば、あとは自分自身の力で伸びていくこと
ができます。**優れたエンジンを持った彼らに、私はただエン
ジンのかけ方を教えてあげればそれで十分でした。彼らの成

長を見るたびに、「私のやってきたことは間違っていなかった」という誇りを感じることができます。その意味でも、私は彼らに感謝しています。

　もし、本書を読んで1人でも多くの方が「学び方」を知り、自らの夢や希望を実現する「小さな助け」となれたとしたら、これほどうれしいことはありません。
　最後まで読んでいただいて、本当にありがとうございます。

　最後になりましたが、KADOKAWA の編集部の方々には、企画から本書の完成まで大変お世話になりました。
　この場をお借りして、心からお礼を申し上げます。本当に、ありがとうございました。

静岡県浜松市中区 JR 浜松駅前にある、小さな公務員予備校
「シグマ・ライセンス・スクール浜松」校長
鈴木俊士

鈴木 俊士（すずき・しゅんじ）

大学を卒業後、西武百貨店に就職。その後は地元浜松にて公務員受験専門の予備校「シグマ・ライセンス・スクール浜松」を開校。定員20名の少人数制の予備校ではあるものの、26年間で延べ2,400名以上を合格に導く。また、開校以来の一次試験の合格率は99.7％、最終試験にいたっても90％以上と驚異の合格率を誇っている。築き上げたノウハウと実績を基にオーディオブックも手掛けており、日本全国の公務員を目指す受験生のために精力的な活動を続けている。主な著書に『9割受かる鈴木俊士の公務員試験「面接」の完全攻略法』『合格率99％！ 鈴木俊士の公務員教養試験 一般知識 一問一答』『合格率9割！ 鈴木俊士の公務員試験「作文・小論文」の書き方』（以上、KADOKAWA）、また、監修を務めた『面接指導のカリスマが教える！ 消防官採用試験 面接試験攻略法』（つちや書店）などがある。

ごうかくりつ わり
合格率9割！
すず き しゅん じ こう む いん し けん う べんきょうほう
鈴木俊士の公務員試験 受かる「勉強法」

2023年2月10日　初版発行

すず き しゅん じ
著者／鈴木 俊士

発行者／山下 直久

発行／株式会社KADOKAWA
〒102-8177　東京都千代田区富士見2-13-3
電話 0570-002-301(ナビダイヤル)

印刷所／株式会社加藤文明社印刷所

©Shunji Suzuki 2023　Printed in Japan
ISBN 978-4-04-605860-7　C0030